**CLASSIQUES LAROUSSE**
Collection fondée en 1933 par FÉLIX GUIRAND
continuée par
LÉON LEJEALLE (1949 à 1968) et JEAN-POL CAPUT (1969 à 1972)
*Agrégés des Lettres*

# DU BELLAY

# LES REGRETS

*choix de poèmes*

avec une Notice biographique, une Notice historique et littéraire, un Répertoire, un Index, un Lexique, des Notes explicatives, une Documentation thématique, des Jugements, un Questionnaire et des Sujets de devoirs

par
YVONNE WENDEL-BELLENGER
*Agrégée des lettres modernes*



LIBRAIRIE LAROUSSE
17, rue du Montparnasse, 75298 PARIS

# RÉSUMÉ CHRONOLOGIQUE DE LA VIE DE DU BELLAY 1522-1560

**1522** (date actuellement admise) — **Naissance, au château de la Turmelière, dans la paroisse de Liré, de Joachim du Bellay.** Son père, Jean, est le cousin germain des frères Guillaume du Bellay, seigneur de Langey et futur gouverneur du Piémont, et Jean du Bellay, le futur cardinal, évêque de Paris, tous deux protecteurs de Rabelais.

1523-1531 — Mort de ses parents. Joachim est confié à la tutelle de son frère aîné, René, qui ne s'occupe guère de lui : enfance délaissée, passée au contact de la nature.

1545-1546 — Études de droit à l'université de Poitiers. Du Bellay y fréquente un milieu lettré, épris de culture et de poésie. Il se lie avec l'humaniste Muret, le poète Salmon Macrin et surtout Peletier du Mans, qui encourage sa vocation poétique.

**1547 — Rencontre et amitié avec Ronsard.** Jean Dorat, principal du **collège de Coqueret** à Paris, y attire ses deux élèves Ronsard et Jean Antoine de Baïf, bientôt rejoints par du Bellay. Jusqu'au départ pour Rome, ce sont des années studieuses, où du Bellay découvre les Grecs et les Italiens, et devient un excellent latiniste.

**1549 — Publication de la *Défense et illustration de la langue française*,** manifeste de « la Brigade » dédicacé au cardinal du Bellay. — **Première édition de *l'Olive*,** recueil pétrarquiste de 50 sonnets par lequel du Bellay acclimatait en France le sonnet introduit par Marot, suivi de l'***Antérotique*** et des ***Vers lyriques*** (mars). — Publication du ***Recueil de poésie*,** conçu pour s'attirer la faveur des grands (novembre).

**1550 — Deuxième édition de *l'Olive*,** portée à 115 sonnets et précédée d'une **Préface,** sorte d'épilogue à la *Défense*, et suivie de la ***Musagnaeomachie*** ou « Combat des Muses contre l'ignorance » (octobre).

1551 — Mort de René du Bellay, frère de Joachim; le poète devient le curateur des biens de son neveu âgé de onze ans : tutelle harassante par les soucis d'une succession embrouillée (procès contre Magdelon de La Roche, qui revendique la terre d'Oudon, acquise de façon douteuse par René du Bellay). — Du Bellay, surmené, tombe malade, probablement de tuberculose pulmonaire : périodes de crises alternant avec des répits. Et, déjà, les premières atteintes de la surdité.

**1552 — Publication de la traduction du *Quatrième Livre de « l'Énéide »*,** accompagnée d'*Autres œuvres de l'invention du Translateur (les Inventions)* : on y trouve les *Sonnets de l'honnête amour*, et la première pièce, la *Complainte du désespéré*, reprend le thème du *Chant du désespéré* publié dans les *Vers lyriques* de 1549, tandis que la dernière, l'*Adieu aux Muses*, exprime le découragement du poète (février).

***

**1553** — Nouveau ***Recueil de poésie*,** augmenté notamment de la pièce *A une dame* (qui sera reprise dans *Contre les pétrarquistes* des *Divers Jeux rustiques*), où du Bellay répudie les habitudes et les thèmes pétrarquistes (mars). — **Voyage de Paris à Rome** (avril-juin) dans la suite du cardinal du Bellay, envoyé par Henri II auprès du pape Jules III. Arrivée à Rome en juin.


ISBN 2-03-870016-8

1554 — L'affaire du procès pour la terre d'Oudon se complique : le très puissant connétable de Montmorency rachète les droits de Magdelon de La Roche et engage un procès contre les du Bellay (printemps).

1555-1556 — Suite du séjour à Rome. Du Bellay travaille aux quatre recueils qu'il publiera à son retour en France. Il supporte de plus en plus difficilement les tâches que lui impose son rôle de secrétaire-intendant du cardinal, et il est harcelé par le souci du procès contre Montmorency, qui se poursuit pendant tout son séjour. Sa santé est mauvaise.

1557 — Voyage de retour à Paris (août-septembre).

**1558 — Publication des *Regrets* et des *Divers Jeux rustiques*** (janvier). — ***Les Antiquités de Rome*** et les ***Poemata,*** recueil de poésies latines, paraissent en mars. Du Bellay et Louis Le Roy publient en collaboration leur **traduction** du ***Banquet*** de Platon (novembre).

1558-1559 — Bien que sa situation matérielle soit meilleure qu'avant son départ pour Rome, du Bellay est en mauvaise santé. Il s'occupe des affaires du cardinal resté à Rome : nouvelles sources de tracas. Cependant, il travaille, en particulier à des pièces de circonstance en français et en latin, à des *Discours* (qui seront publiés après sa mort).

1559 — Règlement satisfaisant du procès de succession de son pupille : moyennant indemnité, du Bellay renonce, au nom du jeune homme, à ses droits sur Oudon. Publication, d'abord en latin, d'une satire traduite ensuite en français : *la Nouvelle Manière de faire son profit des lettres,* qu'accompagne ***le Poète courtisan.*** Tous les travaux de cette période montrent le poète se dirigeant vers de nouvelles expressions poétiques. — Il tombe de nouveau gravement malade, et sa surdité devient totale (automne).

**1560** — Chez son ami Claude de Bize, dans sa maison du cloître Notre-Dame à Paris, **Joachim du Bellay meurt dans la nuit du 1er janvier,** à trente-sept ans.

***

1560 — Publication du ***Discours sur la poésie,*** de la traduction du *Sixième Livre de « l'Enéide »* (février), *Discours sur le sacre du très chrétien Roi François II* (mars).

1567 — Publication de l'*Ample Discours au roi sur le fait des quatre états du royaume de France.*

1568-1569 — Première édition complète des ***Œuvres françaises de Joachim du Bellay*** par les soins de ses deux amis Guillaume Aubert et Jean Morel.

1569 — Publication de l'*Elégie latine à Jean Morel.*

*Du Bellay avait vingt-huit ans de moins que Rabelais, vingt-six ans de moins que Marot, vingt et un ans de moins que Scève, quatorze ans de moins que Dorat, dix ans de moins que Sébillet, neuf ans de moins qu'Amyot, cinq ans de moins que Peletier du Mans, deux ans de plus que Ronsard, six ans de plus que Belleau et qu'Henri Estienne, sept ans de plus qu'Etienne Pasquier, dix ans de plus que Baïf et Jodelle, onze ans de plus que Montaigne, trente ans de plus que d'Aubigné, trente-trois ans de plus que Malherbe.*

# DU BELLAY ET SON TEMPS

| | la vie et l'œuvre de Du Bellay | le mouvement intellectuel et artistique | les événements historiques |
|---|---|---|---|
| 1522 | Naissance de Joachim du Bellay au château de la Turmelière, près de Liré, en Anjou. | Luther : traduction du Nouveau Testament en allemand. — Naissance de Cujas. | Les Français chassés du Milanais. Prise de Rhodes par Soliman. Cortez, capitaine général de la Nouvelle-Espagne. Retour de l'expédition de Magellan. Premier emprunt d'État en France (rentes sur l'Hôtel de Ville de Paris). |
| 1547 | Rencontre avec Ronsard. Début des études au collège de Coqueret, sous la direction de Dorat. | Marguerite de Navarre : *les Marguerites de la marguerite des princesses.* Budé : *Institution du prince.* Noël du Fail : *Propos rustiques.* Michel-Ange à Saint-Pierre de Rome. Rabelais à Rome avec le cardinal du Bellay. | Mort d'Henri VIII et de François Ier. Avènement d'Henri II : persécutions contre les calvinistes. Révolte des gabelles en Guyenne. Victoire de Charles Quint sur les luthériens à Muhlberg. |
| 1549 | *Défense et illustration de la langue française.* — *L'Olive,* suivie des *Vers lyriques.* — *Recueil de poésie.* | Pontus de Tyard : *Erreurs amoureuses.* Jean Goujon : *Fontaine des Innocents* à Paris. | Mort de Marguerite de Navarre. Mort du pape Paul III. Nouvelle ligue protestante en Allemagne. |
| 1550 | Deuxième édition (augmentée) de *l'Olive,* et *Musagnaeomachie.* Grave maladie et début de la surdité. | Ronsard : *Odes.* Théodore de Bèze : *Abraham sacrifiant* (tragédie). Traduction française de l'*Utopie* de Thomas More. Ph. Delorme et P. Bontemps : *Tombeau de François Ier.* | Rachat de Boulogne à l'Angleterre. Élection du pape Jules III. |
| 1552 | Traduction du *Quatrième Livre* de « *l'Enéide* ». — *Les Inventions* : *Complainte du désespéré, Sonnets de l'honnête amour, Adieu aux Muses.* | Ronsard : *les Amours.* Jodelle : *Cléopâtre.* Baïf : *Amours de Méline.* Rabelais : *Quart Livre.* Peletier du Mans : *l'Arithmétique.* Pontus de Tyard : *le Solitaire premier.* En Espagne, *Histoire générale des Indes* de Las Casas. | Henri II occupe Metz, Toul et Verdun : siège de Metz par Charles Quint. En France, création des présidiaux. Mort de saint François Xavier. Suspension du concile de Trente. |
| 1553 | Nouveau *Recueil de poésie.* — Départ pour Rome avec le cardinal du Bellay en avril : arrivée en juin. | Ronsard : *Folâtries.* Magny : *les Amours.* Calvin : *Défense de la foi orthodoxe.* | Avènement de Marie Tudor. Supplice de Michel Servet à Genève. Échec de Charles Quint devant Metz. |

| | | | |
|---|---|---|---|
| 1555 | Du Bellay à Rome : tracas domestiques, soucis du procès, mauvaise santé. Il travaille aux recueils romains : *les Regrets, les Antiquités, Divers Jeux rustiques, Poemata.* | Ronsard : *Continuation des Amours, Hymnes.* Baïf : *les Amours de Francine.* Pontus de Tyard : *le Solitaire second.* Peletier du Mans : *Art poétique.* Nostradamus : *Centuries.* Les céramiques de Bernard Palissy. | Paix d'Augsbourg : liberté religieuse des princes allemands. Mort de Jules III, élection de Marcel II, puis de Paul IV, qui s'allie à Henri II. Capitulation de Sienne, défendue par Monluc, devant les Impériaux. |
| 1557 | Retour à Paris. | Montaigne, conseiller au parlement de Bordeaux. Magny : *les Soupirs.* Premiers sonnets pétrarquistes anglais (posthumes) de Wyatt et Surrey. | Campagne de François de Guise en Italie. Désastre de Saint-Quentin. Édit de Compiègne pour la répression de l'hérésie. Banqueroute espagnole. |
| 1558 | Du Bellay publie *les Regrets, Divers Jeux rustiques, les Antiquités de Rome,* les *Poemata.* | Marguerite de Navarre : *l'Heptaméron.* Bonaventure des Périers : *Nouvelles Récréations et joyeux devis* (posthumes). — Mort de Mellin de Saint-Gelais. Amitié entre Montaigne et La Boétie. | Mort de Charles Quint. Mort de Marie Tudor : avènement d'Élisabeth d'Angleterre. François de Guise reprend Calais aux Anglais. Mariage de Marie Stuart et du Dauphin. |
| 1559 | Règlement satisfaisant du procès contre Montmorency. Publication de *la Nouvelle Manière de faire son profit des lettres, ensemble le Poète courtisan.* — Grave rechute, surdité totale. | Ronsard : second livre des *Mélanges.* Amyot : *Vies des hommes illustres* de Plutarque. Janequin : *Verger de musique,* préfacé par Baïf. En Espagne, *Diana Enamorada* de Montemayor. Calvin fonde l'académie de Genève. | Paix du Cateau-Cambrésis : fin des guerres d'Italie. Mort d'Henri II : avènement de François II. Premier synode des églises réformées de France à Paris. Création de l'église presbytérienne d'Écosse. |
| 1560 | Mort de Joachim du Bellay, le 1er janvier, à Paris. | A Genève, publication des *Psaumes* de Marot. *Mélange des chansons* de Josquin des Prés, avec une Préface de Ronsard. Ronsard, poète favori de Charles IX. Édition des *Œuvres* de Ronsard. | Conjuration d'Amboise. Mort de François II : avènement de Charles IX et régence de Catherine de Médicis. Alliance d'Elisabeth et des révoltés écossais. États généraux d'Orléans. |

# BIBLIOGRAPHIE SOMMAIRE


## ÉDITION CRITIQUE

Henri Chamard — *Œuvres poétiques de Du Bellay,* tome II (Paris, Didier, Société des textes français modernes, 1910 ; 4e édition, 1961).

## SUR DU BELLAY ET « LES REGRETS »

Henri Chamard — *Joachim du Bellay* (Lille, Le Bigot, 1900). — *Histoire de la Pléiade* (Paris, Didier, 1939-40).

Joseph Vianey — *les Regrets de Du Bellay* (Paris, Malfère, 1930).

V. L. Saulnier — *Du Bellay, l'homme et l'œuvre* (Paris, Hatier-Boivin, 1951).

Henri Weber — *la Création poétique au XVIe siècle en France* (Paris, Nizet, 1956).

Yvonne Bellenger — *Du Bellay : ses « Regrets » qu'il fit dans Rome. Étude et documentation* (Paris, Nizet, 1975).

Gilbert Gadoffre — *Du Bellay et le sacré* (Paris, Gallimard, 1978).

## SUR LA LANGUE DU XVIe SIÈCLE

Ferdinand Brunot — *Histoire de la langue française,* tome II, « le Seizième Siècle » (Paris, Armand Colin, 1906 ; 2e éd. remise à jour en 1967).

Georges Gougenheim — *Grammaire de la langue française du XVIe siècle* (Paris, I. A. C., 1951).

Edmond Huguet — *Dictionnaire de la langue française du XVIe siècle* (Paris, Champion et Didier, 1925-1967).

# LES REGRETS
# 1558

## *NOTICE*

### CE QUI SE PASSAIT ENTRE 1553 ET 1558

■ ***EN POLITIQUE. La guerre entre les maisons de France et d'Autriche.*** *Le conflit se prolonge en Italie, ainsi qu'au nord et à l'est de la France.*

En Italie, *Paul IV est élu pape en mai 1555 et signe avec la France un traité d'alliance contre l'Empire (décembre 1555), rompu en février 1556 par la trêve de Vaucelles, qui réconcilie très provisoirement Charles Quint et Henri II. — La guerre reprend dès septembre 1556, alors que Charles Quint abdique sa dernière souveraineté : panique à Rome, arrivée de François de Guise, qui descend vers Naples, mais est rappelé en août 1557 à la suite du désastre de Saint-Quentin. Le pape et Philippe II font la paix.*

Au nord et à l'est, *échec de Charles Quint devant Metz défendue par François de Guise en 1553. — Par la paix d'Augsbourg, en 1555, les princes protestants allemands imposent à l'empereur de reconnaître leur liberté religieuse. — En 1557, désastre de Saint-Quentin infligé par les Espagnols aux troupes françaises commandées par Montmorency. François de Guise, rappelé d'Italie, reprend Calais aux Anglais (1558), alliés aux Espagnols depuis 1554 : la mort de Marie Tudor en 1558 rompt cette alliance. — En 1559 sera conclue la paix du Cateau-Cambrésis, mettant fin à la guerre.*

***Le durcissement des oppositions religieuses.***

Du côté catholique, *la Contre-Réforme s'organise, et Paul IV développe l'Inquisition ou Saint-Office. A la mort d'Ignace de Loyola en 1556, la Compagnie de Jésus est solidement organisée. — En France, Henri II intensifie la persécution contre le calvinisme : édit de Compiègne en 1557. La Réforme progresse néanmoins.*

A Genève, *l'intransigeance se renforce : supplice de Michel Servet en 1553. Dès 1555, l'autorité de Calvin ne rencontre plus d'opposition.*

***La situation économique.***

*L'afflux des métaux précieux (argent du Potosí) entraîne de fortes hausses des prix (banqueroute espagnole de 1557) et des bouleversements sociaux. Essor du crédit et de la spéculation. L'outillage et l'équipement industriels se perfectionnent.*

■ ***EN LITTÉRATURE. En France :*** *Dans le domaine poétique, la Pléiade domine. Ronsard ne cesse de produire pendant cette période, notamment :* Continuation des Amours et Hymnes *(1555),* Nouvelle

Continuation des Amours et *second livre des* Hymnes *(1556). — En 1553 : Magny publie ses* Amours. *— En 1555 : Baïf,* Amours de Francine*; Pontus de Tyard,* le Solitaire second*; Peletier du Mans,* Art poétique. *— En 1556 : Louise Labé,* Élégies et Sonnets. *— En 1557 : Magny,* les Soupirs.

*En 1558, publication posthume de* l'Heptaméron *de Marguerite de Navarre, et des* Nouvelles Récréations et joyeux devis *de Bonaventure des Périers. Au théâtre, en 1555,* Didon se sacrifiant, *tragédie de Jodelle.*

*Des traductions paraissent :* le Prince *de Machiavel en 1553; les* Odes *du Pseudo-Anacréon en 1556 (le texte en avait été publié par Henri Estienne en 1554). Nostradamus publie ses premières* Centuries *en 1555.*

***À l'étranger :*** *la* Défense de la foi orthodoxe *de Calvin paraît à Genève en 1553. En Espagne* Lazarillo de Tormes, *le premier roman picaresque, paraît en 1553. L'Angleterre lit les premiers sonnets pétrarquistes (posthumes), de Wyatt et Surrey, dans les* Mélanges de Tottel *en 1557.*

■ ***DANS LES ARTS.*** *A partir de 1555 environ s'impose en musique l'influence de Goudimel, Lassus, Le Jeune, Mauduit, qui collaborent avec les poètes de la Pléiade. En 1556, en Italie,* Messe du pape Marcel *de Palestrina. — Bernard Palissy découvre en 1555 le secret de l'émail pour les poteries. — Michel-Ange entreprend en 1557* la Mise au tombeau (la Pietà).

■ ***DANS LES SCIENCES.*** Mathématiques : *Recorde invente le signe « égal » (=) en 1557. Travaux de Tartaglia (mort en 1557) et de Cardan en Italie. —* Physique : *Porta publie la* Magia naturalis *en 1558. —* Sciences naturelles : *Ambroise Paré est médecin du roi. Publication d'ouvrages zoologiques :* Historiae animalium, *première encyclopédie zoologique, de Gesner (1551-1558);* la Zoologie des poissons et des oiseaux *de Belon, anatomie comparée, en 1555.*

## PUBLICATION DES « REGRETS »

En 1558, du Bellay publiait quatre recueils de poèmes écrits en grande partie pendant son séjour à Rome, de 1553 à 1557 : les *Poemata,* poèmes latins; *Divers Jeux rustiques*[1], poésies de divertissement; *les Antiquités de Rome*[1], méditation lyrique sur la grandeur et la décadence des empires; et *les Regrets,* dont le privilège est daté du 17 janvier 1558[2]. Si le cardinal du Bellay ne fut que médiocrement satisfait de voir ainsi imprimée une satire de Rome qui ne le surprenait pas, mais qu'il tenait pour décent de ne pas publier[3], l'ouvrage, en

**1.** Voir *Œuvres diverses* de Du Bellay; **2.** Nouveau style, c'est-à-dire selon la datation actuelle, qui fait commencer l'année en janvier; **3.** Dans une lettre du 31 juillet 1559, du Bellay se justifie de cette publication en expliquant au cardinal que *les Regrets* circulaient déjà, malgré lui, à cause de l'indélicatesse de Le Breton (voir Index, et sonnets 57 et 58).

revanche, fut bien accueilli. On en apprécia surtout la partie satirique, mais il fallut attendre longtemps pour que *les Regrets* prennent dans l'œuvre de Du Bellay la place qui leur revient : la première.

## DU BELLAY À ROME

### De l'enthousiasme à la déception.

Le poète était arrivé à Rome en juin 1553, dans la suite du cardinal du Bellay, envoyé par Henri II pour appuyer les efforts de M. de Lansac, ambassadeur de France auprès du pape Jules III. Personnage considérable, estimé du roi, évêque de Paris et fin diplomate, grand lettré et protecteur des humanistes (notamment de Rabelais, d'Étienne Dolet, de Salmon Macrin, de Michel de L'Hospital), auteur à ses moments perdus de poésies latines, amateur d'art et surtout d'art italien, le cardinal du Bellay méritait les éloges décernés dans la Dédicace de la *Défense et illustration de la langue française* par son jeune parent qui vantait son « incomparable savoir ». Protecteur des lettres, c'est tout naturellement qu'il se devait de protéger le poète : le cardinal était le cousin germain du père de Joachim, et l'on sait quelle était encore au XVI^e^ siècle la force des liens de famille. En 1553, l'auteur de la *Défense*, de l'*Olive* et des *Vers lyriques*, de la traduction du *Quatrième Livre de « l'Énéide »*, des *Inventions* et des deux *Recueils de poésie* était déjà célèbre. Mais il était pauvre. Il appartenait à la branche aînée de la famille, à peu près ruinée, et lui-même était comme il le dira dans *les Regrets*,

> ...suffisant témoin
> Combien est peu prisé le métier de la lyre[1].

C'est alors par la branche cadette, en effet, qu'est illustré le nom des Du Bellay, c'est-à-dire par le cardinal et ses frères, dont le plus connu fut Guillaume, seigneur de Langey, soldat et diplomate, mort en 1543 au service de François I^er^.

Il faut se représenter ce qu'était le prestige de Rome pour tenter d'imaginer quelle dut être la joie du poète. Il partait comme secrétaire du cardinal. C'était peut-être la voie ouverte à une brillante carrière diplomatique, en tout cas l'appel de la chance pour un homme qui, trois ans plus tôt, avait clairement déclaré : « J'aime la poésie [...] : mais je n'y suis tant affecté, que facilement je ne m'en retire si la fortune me veut présenter quelque chose où avec plus grand fruit je puisse occuper mon esprit[2]. » Et puis c'était la possibilité de fréquenter les cercles d'humanistes et de poètes italiens, et le bonheur de vivre dans les vestiges d'un monde ancien qui hantait les rêves des hommes du XVI^e^ siècle. En outre, sa santé est meilleure,

---

1. Sonnet 11; 2. Deuxième Préface de *l'Olive* (1550).

sa surdité atténuée, et malgré un mauvais voyage, où la fièvre l'a tourmenté, tout permet de croire que c'est avec enthousiasme qu'il arrive à Rome. Il y retrouve, il s'y fait des amis : des Français lettrés, comme lui au service d'un prélat, d'un diplomate; quelques Italiens. Avec le cardinal, il fréquente le monde du Vatican, corrompu sans doute, mais brillant (Michel-Ange y travaille). Le cardinal reçoit beaucoup : son rang, sa fonction, ses habitudes l'y obligent. En somme, rien n'autorise à affirmer que la déception qu'expriment *les Regrets* ait été immédiatement ressentie.

Certes, Rome n'est pas tout à fait ce qu'imaginait du Bellay. On pourrait sans grand risque évoquer une déconvenue analogue à celle qu'engendreront, chez Proust, les rêveries sur les noms de villes, qui, créant une réalité fausse, ont pour effet, « en accroissant les joies arbitraires de [l']imagination, d'aggraver la déception future [des] voyages »[1]. Mais si le spectacle des ruines suscite des réflexions qu'il dira dans *les Antiquités*, si le spectacle de la vie et des rues romaines étonne le Parisien qu'il est devenu — car Stendhal n'a pas tout à fait tort quand il prétend qu'au milieu du XVI$^{e}$ siècle « Rome, quoique sans armée redoutable, était la capitale du monde. Paris [...] était une ville de barbares assez gentils »[2] —, ce n'est sûrement pas le spectacle de la cour pontificale qui prend du Bellay au dépourvu. Pour saisir à quel point la défiance et même l'hostilité à l'égard de la curie étaient de règle chez les humanistes français, il suffit de relire Rabelais, sans parler d'auteurs moins illustres.

**Le climat politique.**

L'époque est fertile en événements, surtout à partir de 1555. En mars, c'est la mort de Jules III, le pape débauché, à qui succède d'abord Marcel II, prélat fervent et pur, qui ne régnera que trois semaines[3]. En mai, est élu Paul IV, vieillard de soixante dix-neuf ans, Napolitain hostile à l'Espagne, donc favorable à la France. Le cardinal du Bellay, qui a tout fait pour assurer cette élection, triomphe, et il est comblé de faveurs : Joachim peut enfin espérer voir ses ambitions satisfaites. Mais le nouveau cardinal Carafa, neveu du pape, intrigue si bien qu'il provoque la disgrâce du cardinal du Bellay[4], d'abord auprès du roi de France, puis auprès du pape. Dès cette année 1555, c'en est fini de la carrière diplomatique du vieux prélat, et des espoirs du poète. En décembre, le pape et Henri II signent un traité d'alliance contre l'Empire : c'est la guerre.

Cependant, un autre événement provoque la stupeur de l'Europe : Charles Quint abdique. D'abord sa souveraineté sur les Pays-Bas[5], puis sur l'Espagne[6], au profit de son fils Philippe II, l'époux de la reine

---

1. *A la recherche du temps perdu* (Gallimard, Pléiade, tome I$^{er}$, page 390); 2. *La Duchesse de Palliano* dans *Chroniques italiennes ;* 3. Voir sonnet 109; 4. Voir sonnet 49; 5. En octobre 1555; 6. En janvier 1556.

d'Angleterre Marie Tudor. Mais il n'a pas abdiqué l'empire quand il signe avec Henri II, en février 1556, la trêve de Vaucelles, qui prévoit l'interruption de la guerre pour cinq ans[1], au grand dépit des Carafa. Trêve rompue quelques mois plus tard, en septembre, tandis que Charles Quint renonce à l'empire. Les troupes du duc d'Albe, remontant vers la campagne romaine, provoquent la panique à Rome[2]. François de Guise, chef des armées françaises, y fait son entrée en mars 1557[3]. Il entreprend de descendre vers Naples, mais en août, à la suite du désastre de Saint-Quentin, il est rappelé par Henri II. C'est aussi le moment où du Bellay quitte Rome.

**Les tracas personnels.**

Entre-temps, la première déconvenue du poète s'est aggravée. Il supporte de plus en plus mal la vie qu'il mène à Rome, et il a pris en horreur le « soin ménager » qu'il évoque à maintes reprises dans *les Regrets*. Mais le plus grave, c'est qu'ainsi accaparé par la monotonie routinière de démarches oiseuses et importunes — recevoir les hôtes du cardinal, éconduire les créanciers du cardinal, accompagner « en cour » le cardinal, chercher de l'argent pour le cardinal, contraindre son comportement, parce qu'on est l'homme de confiance du cardinal — il perd son temps, il se fatigue, il renonce même à « cet honnête désir de l'immortalité ». En quelques mois, l'angoisse saisit du Bellay qui s'use à ne rien faire que des niaiseries épuisantes et qui s'affole de sentir l'inspiration enfuie.

Les tracas viennent aussi de France, où l'affaire du procès pour la terre d'Oudon s'est compliquée. Affaire déjà bien embrouillée, dont il avait hérité avec la tutelle de son jeune neveu en 1551, à la mort de son frère René du Bellay. Homme honnête, le poète s'est efforcé de préserver les biens et les droits du jeune garçon : René du Bellay avait au prix de manœuvres douteuses acquis la châtellenie d'Oudon, que revendiquait un certain Magdelon de La Roche. L'histoire, à laquelle se mêlait une affaire de faux-monnayeurs, était assez confuse pour susciter au poète les pires embarras quand, au printemps 1554, survint la catastrophe. Le tout-puissant et très redouté connétable de Montmorency, favori du roi, brutal, avare, réputé pour soutenir couramment des procès véreux, n'épargnant rien pour tirer ses affaires à son avantage, rachète les droits de Magdelon de La Roche et engage aussitôt un procès contre les du Bellay. Jamais dans *les Regrets* du Bellay n'ose s'en prendre directement à Montmorency, mais les allusions sont constantes, révélant le cauchemar qu'est pour lui cette affaire compliquée encore par l'éloignement, et par le fait que le cardinal du Bellay est rallié au parti des pacifistes, opposés aux Guise (ennemis de Montmorency), et dirigés pour

1. Voir sonnets 123 à 126; 2. Voir sonnets 83 et 116; 3. Voir sonnet 131.

des motifs qui n'ont rien d'humanitaire par le connétable de Montmorency lui-même.

Enfin, au dégoût qu'inspire désormais à du Bellay sa tâche chez le cardinal, au souci d'un procès interminable et mal engagé, à sa répugnance pour le milieu où il vit, s'ajoute l'angoisse de sentir le temps passer et l'inspiration se tarir, l'angoisse de vieillir. Au XVIe siècle, on vieillit vite : Montaigne nous le dit, qui constate que « de ceux même qui ont ennobli leur vie par renommée », il y en a « plus qui sont morts avant qu'après trente-cinq ans »[1]. Et plus vite encore lorsque, comme du Bellay, on n'est pas en bonne santé : depuis qu'il est à Rome, dont le climat est malsain, la maladie l'a repris. Si bien qu'un sentiment peu à peu l'envahit, la nostalgie du pays natal, qui fait que désormais le poète se sent en exil.

## LA CONCEPTION DES « REGRETS »

La vraie compagne de cet exil, il nous le dit maintes fois, ce fut la Muse, la poésie :

> Si les vers ont été l'abus de ma jeunesse,
> Les vers seront aussi l'appui de ma vieillesse[2].

C'est la seule consolatrice dans les moments de repliement, où l'on se laisse aller avec une morne délectation à la contemplation de « l'ennui », le seul moyen d'exorciser le malheur dont elle naît :

> Puisque le seul chant peut mes ennuis enchanter[3].

Imposer un ordre et un rythme à sa détresse, la modeler et la moduler, n'est-ce pas déjà la surmonter? Et plus encore pour un artiste exigeant et sensible qui, sans tarder, a dû prendre conscience de l'intérêt qu'offrait une tentative poétique si nouvelle, si insolite en son siècle :

> Je me contenterai de simplement écrire
> Ce que la passion seulement me fait dire[4].

Première raison d'écrire qui, au lecteur moderne, paraît suffisante.

Il en est une autre. Si, dans *les Regrets,* du Bellay se plaint, il accuse aussi, et il justifie sa plainte par le regard curieux et acerbe qu'il jette autour de lui pour mieux refuser le monde où il vit. Regard sensible, en même temps, à l'attrait d'une ville dénoncée ailleurs avec véhémence, à l'animation qui en fait le charme et l'horreur, et plus subtilement parfois à l'influence indéfinissable qu'exerce sur l'esprit cette capitale de tous les raffinements qu'est Rome[5].

Double inspiration donc : l'inspiration élégiaque, la plus appréciée depuis les romantiques, par laquelle du Bellay créa la seule poésie personnelle de son siècle; et l'inspiration satirique, moins goûtée

---

1. *Essais*, I, 20; 2. Sonnet 13; 3. Sonnet 12; 4. Sonnet 4; 5. Voir sonnet 72.

aujourd'hui après avoir été la plus applaudie au XVIe siècle, et dont la qualité véhémente, amère, implacable, fait ressurgir un monde disparu et les événements qui l'ont secoué : conclaves, fêtes, paniques, disgrâces, faveurs, abdication d'un empereur, guerres et paix, cours et républiques. Double mouvement qui n'altère pas l'unité du recueil, mais qui traduit un même sentiment, celui du « regret » :

> Mais tu diras que mal je nomme ces Regrets,
> Vu que le plus souvent j'use de mots pour rire; [...]
> La plainte que je fais, Dilliers, est véritable;
> Si je ris, c'est ainsi qu'on se rit à la table,
> Car je ris, comme on dit, d'un ris sardonien[1].

## L'INSPIRATION DES « REGRETS »

### L'humanisme.

La *Défense et illustration* proclamait la nécessité de rivaliser avec les Anciens — et avec les Italiens : « Lis donc et relis premièrement, ô poète futur, feuillette de main nocturne et journelle les exemplaires grecs et latins[2] ». Or, « pour chanter [ses] regrets », dès les premiers sonnets, du Bellay déclare nettement :

> Je ne veux feuilleter les exemplaires grecs[3].

Il est significatif que cette palinodie reprenne les termes mêmes de ce qu'elle désavoue, et que tout le sonnet qui suit soit imprégné de réminiscences antiques et italiennes. C'est le paradoxe des *Regrets*, poésie personnelle, et moderne par cela même, mais aussi, indissociablement, poésie de lettré qui n'oublie rien de ce qu'il a lu. Du Bellay s'en est expliqué, non sans coquetterie, dès 1550, dans la deuxième Préface de *l'Olive* : « Si par la lecture de bons livres, je mé suis imprimé quelques traits en la fantaisie, qui après, venant à exposer mes petites conceptions selon les occasions qui m'en sont données, me coulent beaucoup plus facilement en la plume qu'ils ne me reviennent en la mémoire, doit-on pour cette raison les appeler pièces rapportées? Encore dirai-je bien que ceux qui ont lu les œuvres de Virgile, d'Ovide, d'Horace, de Pétrarque, et beaucoup d'autres, que j'ai lus quelquefois assez négligemment, trouveront qu'en mes écrits y a beaucoup plus de naturelle invention que d'artificielle ou superstitieuse imitation. »

### La culture antique.

On parlera donc de réminiscences, plutôt que de sources qui impliqueraient un emprunt plus conscient. Avec une exception, cependant, pour *les Tristes* d'Ovide. La situation d'exilé du poète latin[4] était en effet de nature à frapper l'esprit de Du Bellay exilé. Si différentes que soient les conditions de ces deux exils, si opposées même, puisque

---

1. Sonnet 77; 2. Livre II ,chapitre IV; 3. Sonnet 4; 4. Voir Index, page 39.

du Bellay rêvait de quitter Rome, où Ovide avait rêvé de revenir, il n'y en avait pas moins une parenté qui apparaît çà et là, assez souvent, dans *les Regrets*. Mais, à part le titre (du Bellay avait repris dans une pièce latine des *Poemata* le titre d'Ovide *Tristiae*, qu'il a ensuite traduit par *Regrets*), à part l'idée du premier sonnet « A son livre », on ne trouvera guère d'emprunt direct que dans la « Dédicace à M. d'Avanson »[1], résumant les grands thèmes du recueil, mais écrite après coup. Ce qu'on trouve le plus souvent, ce sont donc des souvenirs de lectures inspirant une image, une idée, un rythme parfois : souvenirs d'Ovide, d'Horace, de Virgile, de Catulle, mais aussi de Perse, de Lucrèce, de Juvénal, de Claudien et, chez les Grecs, d'Homère (l'Homère de *l'Odyssée* avec de nombreuses allusions à Ulysse et à ses aventures), ainsi que d'Hésiode, bien que souvent, plutôt que la *Théogonie*, du Bellay se rappelle les *Métamorphoses* d'Ovide.

Il faut encore citer une œuvre capitale pour la compréhension du XVIe siècle : les *Adages* d'Érasme. Recueil de dictons, de citations, de proverbes tirés des textes de l'Antiquité, c'est une compilation commentée qui a fourni aux humanistes un même répertoire de métaphores. S'il est vrai que le climat d'une époque s'exprime et se révèle par les images et les lieux communs, on aperçoit l'importance des *Adages*.

Mais les souvenirs de l'Antiquité ne sont pas seulement livresques. Quand du Bellay, par exemple, évoque les travaux d'Hercule ou le mythe d'Orphée, il peut très bien n'avoir en tête aucune référence littéraire précise. Il y a là un répertoire de légendes et de mythes déterminants pour l'expression et peut-être pour l'éveil de l'imagination.

### La culture italienne.

Du Bellay n'avait pas attendu d'être à Rome pour découvrir Pétrarque et ses continuateurs italiens[2], qu'il mentionnait déjà dans la *Défense* et qu'il imitait dans *l'Olive*. Mais si, dans *les Regrets*, il déclare qu'il ne veut pas « imiter d'un Pétrarque la grâce »[3], il assimile la leçon du maître mieux que lorsqu'il pétrarquisait. Sans parler de la forme du sonnet, la structure antithétique[4] (et, dans une certaine mesure, la pensée antithétique) du poème élégiaque est un héritage du grand Italien.

Outre le *Roland furieux* de l'Arioste, qu'il a lu comme tout son siècle et auquel il emprunte surtout des images, il connaît aussi les satiriques italiens, en particulier les deux plus grands, Berni et Burchiello. Le premier (1497?-1535), dont l'œuvre complète paraissait en 1555, fut un maître de la parodie burlesque, populaire et

1. Voir page 47; 2. Comme le cardinal Bembo (1470-1547), réputé pour la pureté cicéronienne de son latin, et qui fut en même temps le plus grand pétrarquiste italien; 3. Sonnet 4; 4. Voir page 29.

truculente, qui retrouvait en somme l'origine de la satire : un pot-pourri[1]. A Berni, du Bellay emprunte des procédés, par exemple les accumulations d'infinitifs dans les sonnets satiriques et la feinte louange pour mieux condamner. Mais il accommode la formule bernesque à son usage, comme il fera de celle de Burchiello (1404-1448), qui vient d'être réédité en 1553. Celui-ci, barbier florentin en proie à toutes sortes de calamités, mais toujours désinvolte, considérant son œuvre comme un jeu, fut néanmoins un vrai poète doué d'un sens très vif du détail pittoresque et bizarre, et un amateur de rimes et de rythmes.

Nourri de culture antique ou italienne, du Bellay, auteur des *Regrets*, restait décidément d'accord, malgré ses reniements, avec celui qui avait déclaré « que le naturel n'est suffisant à celui qui en poésie veut faire œuvre digne de l'immortalité[2] ».

## LA COMPOSITION DES « REGRETS »

Si sincères et si personnels qu'ils soient, *les Regrets* n'offrent pas une suite de confidences, encore moins d'effusions, étrangères à l'esprit du siècle. Les émotions diverses qu'il y exprime, le poète les a transposées, mises en ordre, pour en faire une œuvre d'art. Cette élaboration, évidente à la lecture d'ensemble de l'ouvrage, se trouve confirmée par l'organisation des autres recueils français écrits à Rome : aux *Jeux rustiques*, la poésie mineure du divertissement et du délassement; aux *Antiquités*, la méditation raffinée du lettré qu'impressionnent la grandeur et la décadence d'une civilisation; aux *Regrets*, le portrait de l'auteur par lui-même et la description du milieu où il vit.

### Chronologie de l'œuvre.

L'ordre assigné aux sonnets dans l'édition définitive ne correspond donc en rien à l'ordre chronologique de la composition. Au surplus, on ne peut parler des *Regrets* qu'après le moment où un certain projet prit forme dans l'esprit de Du Bellay, à partir de sonnets déjà écrits peut-être; de tout cela, nous ne savons rien. On peut raisonnablement conjecturer que, dans l'ensemble, *les Antiquités* ont été composées avant *les Regrets :* il paraît plausible que l'émotion devant les ruines de Rome s'impose sans tarder à un humaniste, plus tôt, en tout cas, que les sentiments qui animent *les Regrets*. Quoi qu'il en soit, seuls quelques sonnets donnent une indication de date : 1555 peut-être, plutôt 1556. Sans avoir d'autre certitude, sans pouvoir affirmer qu'aucun poème n'est antérieur, on admet que la grande masse des sonnets écrits à Rome (c'est-à-dire 1 à 127 sans doute) l'a été pendant les deux dernières années du séjour.

---

1. Ou, comme le veut Marot, un « coq-à-l'âne », n'en déplaise à du Bellay, qui, dans la *Défense et illustration*, qualifiait d' « inepte » cette « appellation »; 2. *Défense*, livre II, titre du chapitre III.

**Structure du recueil.**

D'abord trois Dédicaces :

— la première s'adresse, en latin, « Au lecteur »;

— la deuxième, « A M. d'Avanson », la plus longue, présente les grands thèmes de l'ouvrage en une suite de quatrains de décasyllabes;

— la troisième, « A son livre », est un sonnet.

Elles sont suivies des *Regrets,* 191 sonnets en alexandrins, composés pour les deux tiers environ à Rome, et achevés en France. Ce sont d'abord les sonnets d'**inspiration élégiaque :** du Bellay annonce une nouvelle conception de la poésie (1 à 5); il dit sa détresse (6 à 9), puis il chante la vertu consolatrice de la poésie (10 à 15). Vient alors une série de poèmes adressés aux amis restés en France (16 à 24), que le poète félicite de leur bonheur en le comparant amèrement à son propre sort. C'est ensuite la lamentation de l'exil (25 à 36), où l'on trouve le célèbre « Heureux qui comme Ulysse a fait un beau voyage ». L'amertume se fait plus âpre, et le poète évoque la servitude à laquelle il est astreint (37 à 42), avant de s'en prendre à l'ingratitude (43 à 49), récompense ordinaire des ambitions et du mérite.

On arrive ainsi à la deuxième veine du recueil, l'**inspiration satirique,** qui est quantitativement deux fois plus importante que la veine élégiaque (102 sonnets contre 49), du moins si l'on y inclut les poèmes sur la France animés par le même esprit. Mais il est courant de distinguer la satire inspirée par le séjour à Rome et le voyage, de la série de sonnets postérieurs au retour en France. Cet usage paraît logique.

En fait, les premiers sonnets de la partie satirique constituent une transition où du Bellay s'exprime en *moraliste,* au sens classique du mot : il dit son effort de ressaisissement (50 à 56), et il s'exhorte à la sagesse, une sagesse plus épicurienne que stoïcienne et à laquelle, semble-t-il, son tempérament le prédispose moins qu'un Ronsard ou qu'un Montaigne. Puis, cessant de se prendre comme objet d'observation, avant de regarder la société qui l'entoure, il regarde les hommes et nous offre une série de portraits (57 à 75), dont certains sont presque des « caractères » : le paresseux, le pédant, l'hypocrite, le flatteur, le « tapeur », le vieux jouisseur. Enfin, il précise ses intentions satiriques (76 à 79).

C'est désormais aux « vices du temps », comme dira Molière, qu'il s'en prend, et c'est au *satirique* que nous avons affaire. Deux grands thèmes d'inspiration dans cette partie : Rome et ses multiples aspects, et les étapes du voyage de retour.

Du Bellay présente successivement les aspects de Rome (80 à 86), les femmes de Rome (87 à 100), la cour pontificale (101 à 113), les événements et l'actualité qui agitent Rome (114 à 126) : guerre, fêtes, menaces. Et enfin, un sonnet de conclusion (127) offre une dernière impression de la ville. C'est alors la fin du séjour romain et le voyage de retour jusqu'à l'arrivée à Paris (128 à 138). On voit à quel point la structure du recueil est élaborée et correspond à des progressions diverses et nuancées, et à quel point est variée et riche l'inspiration d'un ouvrage dont on ne connaît trop souvent que quelques poèmes de lamentation. Cependant, arrivé là, on a lu le meilleur des *Regrets*.

La cinquantaine de sonnets qui suivent, évoquant **le retour en France,** expriment une nouvelle déception devant la réalité qui dénonce comme une chimère les rêves de quatre années : le passé est définitivement mort. C'est d'abord la satire du courtisan français (139 à 151), qui ne vaut pas mieux que le courtisan romain, puis les hommages aux amis poètes (152 à 158), où apparaît l'amertume mal résignée devant le peu de considération accordée au métier de la lyre. Déjà moins intéressantes que les sonnets romains, ces deux séries, néanmoins, valent mieux que celle qui les suit, les hommages aux grands (159 à 191) : c'est une pénible surprise de voir du Bellay pratiquer la flatterie officielle qu'il a si bien vilipendée. Nous n'avons retenu que peu de poèmes de cette série (dont les moins médiocres sont ceux qui s'adressent à Marguerite de Valois, protectrice du poète : 174 à 190), choisis moins pour leur valeur qu'à titre d'exemples[1].

Triste retour, puisque le poète doit subir de nouvelles déceptions et se soumettre à des compromissions inévitables dans une société où la faveur l'emporte par principe sur le mérite, et où, par comparaison, l'exilé apparaît presque comme un privilégié qui, se tenant à l'écart, pouvait rester pur : luxe que ne peut plus s'offrir du Bellay rentré en France.

## LES THÈMES DES « REGRETS »

*Les Regrets* forment un tout, une œuvre consciente et élaborée, où chaque sonnet ne prend son sens véritable que par l'accord avec les grands thèmes d'ensemble qu'il illustre ou qu'il nuance, en annonçant par ses images et ses résonances une inspiration, une « ligne mélodique » qui va prendre la première place dans la suite du recueil, à moins qu'il ne rappelle un motif antérieurement dominant, mais jamais tout à fait délaissé. Dans cette perspective, même la dernière partie, même la médiocre série des sonnets « officiels » contribue (par sa médiocrité précisément) à donner à l'ensemble un sens achevé : interrompue au sonnet 138, dès le retour à Paris, l'œuvre laisserait imaginer une France où l'artiste est roi et les misères de Rome inconnues, un monde où le poète peut rester à l'écart des compromissions sinon dans sa vie, du moins dans son art.

---

1. La structure des *Regrets*, telle qu'elle est présentée dans cette analyse, englobe tous les sonnets composant le recueil. On trouvera dans la Table des matières (page 177) la composition des *Regrets* limitée aux sonnets retenus pour cette édition.

Il s'agit bien d'un *livre* et non d'une succession de poèmes, d'un livre dont la cohérence est celle de la composition poétique, déterminée par les élans et les nuances des nostalgies et des ressentiments que révèlent les tons et les images. Ton mineur (lyrisme élégiaque) ou ton majeur (fougue satirique), confondus et harmonisés, ou subtilement dissonants, mais toujours modulés selon le sentiment : regret, amertume, indignation, mépris, admiration, pitié, parfois même humour. Tons sur lesquels le poète « chante » des images, symboles expressifs de ses hantises.

## Images et thèmes de la nostalgie.

Dans les sonnets élégiaques, ce sont les mythes des héros aventuriers, Jason, Ulysse[1] surtout, associés à la métaphore de la mer dangereuse et de la navigation incertaine, qui révèlent à la fois les ambitions et les déceptions de Du Bellay, et le climat d'insécurité où il vit. C'est le mythe d'Hercule[2] allié à l'évocation de la vertu mal récompensée. C'est l'image traditionnelle du bal des Muses[3], dont du Bellay fait le symbole de sa jeunesse disparue. Venues de l'antique tradition romaine, ce sont les images de l'agneau égaré[4] et du cygne mourant[5], dont la blancheur et la grâce disent la pureté. Et, dans un tout autre registre, familières, mais rattachées encore à des souvenirs de lecture, ce sont les images de la « peine », du « labeur » fourni par le rameur, par l'esclave, par le vieux cheval, tous des « chétifs »[6], comme le poète.

Mais la plus touchante de toutes les images qui hantent du Bellay, c'est la plus personnelle, la plus significative aussi, puisqu'elle rend compte de la raison d'être du livre : celle du pays natal,

> La France, et mon Anjou, dont le désir me point[7].

Ponctuant ces images et illustrés par elles, dès le début des *Regrets,* certains mots reviennent continuellement, comme de véritables obsessions, qui constituent précisément les thèmes dominants[8]. C'est d'abord, bien sûr, le *regret,* « tardif repentir d'une espérance vaine »[9], où la déception s'accompagne de la *crainte* résignée du *malheur.* Et puis l'*ennui,* détresse de l'âme tourmentée à l'excès; le *souci* et le *soin,* acharnement d'une adversité qui, décidément, accable le poète *banni* et malade, et qui se *plaint :*

> Si ne suis-je pourtant le pire du troupeau[10].

Thèmes qui réapparaîtront dans la partie satirique, mais en sourdine, estompés derrière les images et les mots clefs liés à cette nouvelle inspiration.

---

**1.** Voir Répertoire, pages 33 et 35; **2.** Voir Répertoire, page 33; **3.** Sonnet 6, vers 5-8 et vers 14; **4.** Sonnet 9; **5.** Sonnet 16; **6.** *Chétif :* prisonnier (du latin *captivus*); **7.** Sonnet 25; **8.** A ce sujet, voir le Lexique, page 41; **9.** Sonnet 24; **10.** Sonnet 9.

### Images et thèmes de la satire.

Les images, nombreuses, par lesquelles s'exprime la satire sont plus souvent tirées de la réalité vivante (que n'avaient pas nécessairement prévue les grands Anciens) saisie par l'acuité du regard et l'âpreté pittoresque de l'expression : comportement du courtisan romain[1], exorcisme des possédées[2], incertitude des fortunes[3]. Cependant, si enracinée qu'elle soit, cette poésie satirique recourt fréquemment à l'image traditionnelle qui accroît la résonance et la profondeur de l'évocation, en écartant l'anecdote, que du Bellay évite toujours[4].

Ainsi, les grands thèmes qu'expriment les mots clefs dénonçant l'objet de la satire (*envie, feintise,* corruption due à l'*ambition* et à l'*avarice,* à la débauche, et au rôle désormais souverain de l'*argent*) se trouvent couramment associés à des images mythologiques. Du Bellay dénonce-t-il l'*envie* comme la cause profonde des guerres qui déchirent l'Europe, et surtout l'Italie, depuis un demi-siècle? C'est *Mars*[5] le responsable. Les tartufes de Genève ressemblent à

> ...ces esprits qui là-bas font leur plainte,
> Ayant passé le lac d'où plus on ne revient[6].

Les réussites douteuses des prélats romains, sans cesse remises en cause par la brigue des laissés-pour-compte, c'est le jeu de l'antique roue de Fortune[7]. La corruption des mœurs alliée à la *feintise* s'affiche dans la confusion des valeurs qui permettent de

> Nommer une Thaïs du nom d'une Lucrèce[8],

et dans des déguisements scandaleux : n'a-t-on pu voir, sous le règne de Jules III,

> Un Ganymède avoir le rouge sur la tête[9] ?

### Images et thèmes fondamentaux.

Sous ces hantises, plus ou moins mises au jour par la communication poétique, et plus ou moins ouvertement révélées par la répartition des thèmes (ce qu'on appelle encore la composition), d'autres images et d'autres idées parcourent le livre, apparemment secondaires, mais d'autant plus significatives. C'est le thème du *temps,* de l'*âge,* qui hante *les Regrets* du début à la fin. Temps irrémédiablement perdu et toujours lié à la déchéance : vieillesse de l'homme et déclin du poète, décadence de Rome et corruption des valeurs, déchéance de l'humanité[10] :

> Je déteste à part moi ce vieil Faucheur qui vole[11].

Enfin, confirmant par contraste les mélancolies et les indignations,

---

**1.** Sonnet 86; **2.** Sonnet 97; **3.** Sonnet 102; **4.** Dans le sonnet 109, par exemple, évoquant la figure vénérée du pape Marcel, du Bellay développe une métaphore qui s'achève par une allusion aux travaux d'Hercule; **5.** Sonnet 95; **6.** Sonnet 136; **7.** Sonnet 82, vers 5 et 6; **8.** Sonnet 100; **9.** Sonnet 105; **10.** Cf. le mythe de l'*âge d'or* (voir Répertoire, page 32); **11.** Sonnet 107.

deux mots apparaissent au premier plan : l'*heur*, le bonheur décidément enfui, et la *vertu*, absente de ce monde — deux mots qui résument ce que « regrette » du Bellay.

## L'INTÉRÊT DES « REGRETS »

Il n'est que de penser aux aspects de l'œuvre qu'apprécièrent le XVIe siècle, puis le XIXe, pour voir à quel point cet intérêt est multiple et divers[1]. On se contentera donc de remarquer que l'usage et l'évidence (ce qui n'est pas forcément suffisant) s'accordent à désigner deux pôles d'intérêt : la vision de Rome et la confidence personnelle.

Vision de Rome, et non spectacle de Rome. Vivante parce que subjective et partiale, c'est l'impression produite sur une sensibilité étrangère par un *peuple :* plèbe familière et gouailleuse, prélats et parvenus hautains et fastueux, courtisanes impudentes, entourage pontifical de flagorneurs, qu'encouragent les caprices des papes, leur népotisme, parfois leur débauche; par des *événements* tantôt colorés — conclaves et carnavals, courses de taureaux et exorcismes — tantôt menaçants, guerre ou panique; par des *routines,* tâches d'un cardinal, « soin ménager » de son intendant; par la *séduction* qu'exerce cette ville peu aimée; par les *institutions,* enfin, qui respectent certaines valeurs :

> Et n'en est point du tout la justice bannie[2].

Quant à la confidence personnelle, elle ne nous apprend rien sur la vie de Du Bellay que les contemporains n'aient su[3], nulle anecdote, nul secret honteux ou glorieux, rien de comparable à des mémoires ou à un journal intime, ni même à certains *Essais* de Montaigne. Le constater n'est pas le regretter. C'est dire que, peut-être, l'intérêt véritable des *Regrets* est ailleurs.

## DU BELLAY PAR LUI-MÊME

Que du Bellay regarde le monde qui l'entoure ou qu'il se regarde lui-même, deux traits demeurent : il accuse la réalité immédiate, il embellit la réalité lointaine. Lucidité et refus, chimère et nostalgie, tel est le mouvement constant des *Regrets,* trahissant chez leur auteur une inaptitude totale au bonheur.

Cet exil dont il se plaint si amèrement, il l'a désiré, il l'a accepté. Rien de semblable à l'origine entre sa situation au départ de Paris et celle d'Ovide au départ de Rome. La fatalité qui poursuit le malchanceux du Bellay est autre : c'est, pour reprendre les termes acérés,

---

1. « Une œuvre est « éternelle », non parce qu'elle impose un sens unique à des hommes différents, mais parce qu'elle suggère des sens différents à un homme unique [...] : l'œuvre propose, l'homme dispose » (Roland Barthes, *Critique et vérité*, 1966, Éd. du Seuil); 2. Sonnet 127; 3. De ses amours tumultueuses avec Faustine, *les Regrets* ne disent rien. C'est aux *Poemata* que du Bellay s'est confié.

mais justes, d'A.-M. Schmidt, « l'excès de ses piètres malheurs[1] »; c'est surtout son tempérament. Si légitime en effet qu'ait pu être sa déception à Rome, si pénible l'isolement où il s'est trouvé, il semble bien que du Bellay ne puisse souhaiter une chose sans la déplorer dès qu'il l'obtient. *Les Regrets* constituent à ce propos un document doublement révélateur, puisqu'ils content une déception répétée, celle du séjour à Rome et celle du retour en France. Dès lors, il est logique que la désillusion s'accompagne d'une idéalisation. Du Bellay pare des plus belles couleurs tout ce dont il est privé : les amis éloignés, leur chance, la France tant qu'il est en Italie, le bonheur qu'apportent la tranquillité ou la gloire, la pureté d'un pape mort trop vite pour régner, la beauté et la grandeur des temps anciens, la qualité de la poésie qu'il a lui-même écrite autrefois[2]. En somme, d'après tout ce qui apparaît de lui dans *les Regrets,* ce qu'il veut, c'est être ce qu'il a été, ce que d'autres sont, ce qu'il aurait pu être : tout ce qu'il n'est pas. Malaise devant soi-même, que durent accroître deux faits singulièrement importants : la maladie (tuberculose et surdité) d'un homme qui se sentait peut-être condamné[3]; les bouleversements de la société où il a vécu, qui a vu l'avènement de « valeurs » capitalistes, sinon déjà bourgeoises.

Gentilhomme, du Bellay professe une éthique chevaleresque dans un monde où cette éthique est moribonde, si ce n'est dans des rites extérieurs : Henri II mourra dans un tournoi, mais François Ier s'est allié au Turc; le prestige de l'aristocratie reste immense, mais il n'est rien sans l'argent; le roi s'entoure de grands seigneurs, mais l'humanisme et la Réforme sont le fait d'esprits non empêtrés du respect des traditions. Du Bellay le sent, et c'est le gentilhomme qui protestait dès ses débuts de poète « contre la fausse persuasion de ceux qui pensent tel exercice de lettres déroger à l'état de noblesse »[4]. C'est le gentilhomme qui s'évertue à proclamer fièrement :

> J'ai fait à mon seigneur fidèlement service[5],

car le service du vassal au suzerain,

> L'honnête servitude où mon devoir me lie[6],

c'est le signe de la noblesse, de la générosité, en vertu de principes décidément inaccessibles au vilain, qu'il soit banquier ou serf. Fidèle

---

**1.** Voir Jugements, page 170; **2.** C'est peut-être ainsi qu'on peut comprendre son goût, avant le dégoût qui, bien sûr, l'a suivi, pour le pétrarquisme, dont il a largement contribué à répandre la vogue : on ne connaît guère de moments d'amour heureux dans la vie de Du Bellay, et l'insatisfaction sentimentale peut expliquer son mépris parfois rageur contre les courtisanes romaines et l'amour vénal — négation de l'amour —, aussi bien que son ironie désenchantée (voir « Contre les pétrarquistes » dans les *Jeux rustiques*) contre la spiritualisation de l'amour — autre négation de l'amour? — qu'est le pétrarquisme, tentation à la mode qu'il connaissait mieux que personne; **3.** Du Bellay est mort à trente-sept ans, moins de deux ans et demi après son retour de Rome; **4.** Deuxième Préface de *l'Olive*, 1550; **5.** Sonnet 43; **6.** Sonnet 27.

serviteur, ami loyal, homme d'honneur, c'est ainsi que du Bellay choisit volontiers de se présenter, et il n'est pas faux qu'il soit tout cela.

Mais c'est un portrait incomplet. Pour être un gentilhomme accompli, il lui manque les moyens de se conformer à son idéal : vivre en un autre siècle, ou du moins se trouver à l'abri des soucis d'argent. Pour s'accepter tel qu'il est, c'est la vitalité d'un Rabelais[1] qu'il lui faudrait, ou la liberté d'esprit nécessaire pour s'affranchir des traditions de famille et de caste — en un mot des préjugés qui l'empêchent de s'accorder au monde où il lui faut bien vivre : certaines des railleries qu'il dirige contre la cour romaine s'en prennent à la roture des dignitaires ecclésiastiques[2], tant l'indigne la relative démocratie pratiquée dans le clergé (la promotion ecclésiastique étant, pour peu que les circonstances s'y prêtent, le seul moyen offert aux Julien Sorel de l'époque d'égaler les grands). Ses préjugés l'empêchent aussi de s'accorder avec lui-même. On a beau proclamer :

> Ce n'est l'ambition, ni le soin d'acquérir
> Qui m'a fait délaisser ma rive paternelle[3],

il faut vivre, et la Muse n'enrichit pas. Quitte à se contredire, du Bellay est assez lucide pour savoir qu'il n'est pas venu à Rome uniquement pour l'honneur :

> Je vieillis malheureux en étrange province,
> Fuyant la pauvreté[4].

Il s'est « abusé d'une ingrate espérance »[5], et sa situation est inextricable :

> Si je demeure ici, hélas! je perds mon temps
> A me repaître en vain d'une longue espérance;
> Et si je veux ailleurs fonder mon assurance,
> Je fraude mon labeur du loyer que j'attends[6].

Conflit permanent : il ne peut pas ne pas voir la réalité, qu'il refuse cependant d'accepter, tant restent vivantes en lui la volonté, la nécessité d'être fidèle aux valeurs — aux préjugés — qui fondent la supériorité de sa caste, et sa raison de vivre. Même contradiction jamais résolue entre son mépris de l'argent et son dépit devant les nantis, entre son mépris du courtisan et ses propres compromissions. C'est toujours le reflet de l'indécision provoquée par l'incapacité de s'adapter, qui favorise la tendance aux chimères aussi bien que la lucidité désabusée, parfois fondues dans le même mouvement.

Si l'on devait résumer du Bellay d'un mot, plus que de mélancolie, c'est donc de pessimisme qu'il faudrait parler. Pessimisme dans le regard qu'il jette sur lui-même, sur ses rapports avec le monde et

---

**1.** Au service du cardinal du Bellay à Rome, Rabelais s'était acquitté, sans sombrer dans le désespoir, de tâches qu'on peut imaginer voisines de celles que le poète supportait si mal; **2.** Voir notamment les sonnets 102 et 105; **3.** Sonnet 27; **4.** Sonnet 24; **5.** Sonnet 28; **6.** Sonnet 33.

sur ce monde corrompu et avili, monde « ignoble » au sens propre, grâce auquel, cependant, le poète se ressaisit dans la pratique de la satire : plaisir amer, mais certain. C'est son pessimisme qui l'anime, qui le contraint à s'exprimer, qui donne à la poésie des *Regrets* une résonance insolite. Poète satirique et poète de l'« ennui », curieusement proche de nous par-delà quatre siècles précisément parce que l'homme a été frustré de ce qui l'aurait peut-être rendu plus heureux : les réussites matérielles et sociales. Resté pur malgré lui, du Bellay s'est retourné vers ce qui lui a assuré l'immortalité : la poésie, seule valeur, seule certitude, seul plaisir, seul espoir.

## LE STYLE ET LA VERSIFICATION

### Le style.

La *Défense* recommandait l'emploi de tours comme l'infinitif et l'adjectif substantivés, l'adjectif à valeur adverbiale, la périphrase expressive[1]. On les trouvera dans *les Regrets,* si bien passés dans nos habitudes que, la plupart du temps, on les remarque à peine.

Plus intéressante est l'étude du vocabulaire. Peu de mots surprenants, mais un vocabulaire expressif et précis, toujours évocateur et accordé au thème, souvent saisissant par le contexte plutôt que par la rareté : rien de comparable chez du Bellay à certaines des difficultés que présente pour un lecteur moderne le lexique de Ronsard, par exemple. Vocabulaire varié d'un sonnet à l'autre, ou même souvent à l'intérieur d'un seul sonnet.

Dans les poèmes élégiaques, il arrive à du Bellay de jouer en artiste de l'opposition entre abstrait et concret, l'abstrait se rapportant, par exemple, à ce qui est perdu :

> Las, où est maintenant ce mépris de Fortune?
> Où est ce cœur vainqueur de toute adversité,
> Cet honnête désir de l'immortalité?

tandis que le concret rendra plus aiguë l'évocation douloureuse de ce qui fut le bonheur :

> Où sont ces doux plaisirs, qu'au soir sous la nuit brune
> Les Muses me donnaient, alors qu'en liberté
> Dessus le vert tapis d'un rivage écarté
> Je les menais danser aux rayons de la Lune[2]?

Ailleurs, c'est le mythe que commentent les termes abstraits :

> Heureux qui comme Ulysse a fait un beau voyage [...]
> Et puis est revenu, plein d'*usage* et *raison*[3],

tandis que l'intensité de la nostalgie apparaît dans une image

---

1. Livre II, chapitre IX; 2. Sonnet 6; 3. Sonnet 31.

empruntée à la réalité familière (même si c'est une réminiscence littéraire) :

> Quand reverrai-je, hélas, de mon petit village
> Fumer la cheminée[1]...

Parfois, l'antithèse est renforcée par une série de vers où dominent les mots abstraits exprimant une réflexion, suivie d'une image ou d'une suite d'images constituant la conclusion[2].

En revanche, dans les sonnets satiriques, le vocabulaire concret l'emporte, nécessaire pour décrire les faits, les gestes, les comportements qui suscitent la raillerie. C'est parfois d'un terme prosaïque, « détonnant » — et par là saisissant —, que du Bellay accentue l'aspect dérisoire de ce qu'il dénonce :

> Ces vieux singes de cour[3]...

Il n'ignore pas la couleur locale qui dépayse, soulignant ainsi l'inanité pompeuse du courtisan romain :

> Balancer tous ses mots, répondre de la tête
> Avec un *Messer non*, ou bien un *Messer si;*
> Entremêler souvent un petit *Et cosi?*
> Et d'un *Son servitor* contrefaire l'honnête[4],

ou suggérant l'éloignement et les préoccupations différentes par les vocabulaires caractéristiques des lieux : le premier quatrain du sonnet 122 évoque le Palais de Justice à Paris, et les dix vers suivants la vie agitée et harassante de Rome.

Visuel, le coup d'œil de Du Bellay saisit le détail significatif : c'est le costume et l'escorte qui font le Romain :

> De ces rouges prélats la pompeuse apparence,
> Leurs mules, leurs habits, leur longue révérence[5],

et qui révèlent les corruptions à celui qui a vu

> La courtisane en coche, ou qui pompeusement
> L'a pu voir à cheval en accoutrement d'homme
> Superbe se montrer[6].

C'est le contraste entre les aspects de Rome et ceux de l'Anjou qui, mieux que tout, suggère la nostalgie de Du Bellay :

> Plus que le marbre dur me plaît l'ardoise fine [...]
> Et plus que l'air marin la douceur angevine[7],

de même que c'est la couleur des visages qui dénonce l'instabilité des fortunes et tout un système social que du Bellay réprouve :

> ...les voyant pâlir lorsque sa Sainteté
> Crache dans un bassin, et d'un visage blanc
> Lentement épier s'il y a point de sang[8].

---

**1.** Sonnet 31; **2.** Sonnets 30 et 32 par exemple; **3.** Sonnet 150; **4.** Sonnet 86; **5.** Sonnet 119; **6.** Sonnet 131; **7.** Sonnet 31; **8.** Sonnet 118.

Rouge des costumes et du sang, blanc souvent inquiétant des visages et des fards, telles sont, dans *les Regrets*, les couleurs de Rome, tandis que la douceur des verts et des blonds évoque le « plaisant séjour de [la] terre angevine » :

> Je regrette les bois, et les champs blondissants,
> Les vignes, les jardins, et les prés verdissants,
> Que mon fleuve traverse[1]...

**Le vers.**

Pour la première fois dans *les Regrets*, du Bellay n'utilise que l'alexandrin[2], ample, riche et qui confère au sonnet une plénitude rendue plus dense par le resserrement de la forme fixe. Instrument dont le poète joue en maître, mais avec une discrétion conforme au propos annoncé dès le deuxième sonnet :

> Aussi veux-je, Paschal, que ce que je compose
> Soit une prose en rime ou une rime en prose.

Simplicité, facilité, « doux-coulant » : c'est déjà par ces mots que les contemporains opposent du Bellay à Ronsard. C'est encore ce qui surprend le lecteur du XX$^{e}$ siècle. V. L. Saulnier, qui intitule « le Don du vers » un chapitre de son ouvrage sur du Bellay, affirme que « la saveur artistique tient à l'harmonie. Agencement des sonorités, jeu des muettes; parfois même un jeu de mots se fait musique : « Si bien qu'en les chantant souvent je les enchante », dit le poète de ses ennuis. Compte encore plus le rythme intérieur du vers. Du Bellay ne se distingue pas dans l'art du rejet et de l'enjambement, mais c'est un maître unique dans celui d'animer le vers par les accents et les coupes »[3].

Césure violente dans les vers d'antithèse :

> Je suis né pour la Muse, on me fait ménager[4],

qu'avive parfois le chiasme :

> Je fus jadis Hercule, or Pasquin je me nomme[5],

à moins que seule la césure ne trahisse ouvertement le persiflage sous l'apparente discrétion, sous la feinte ingénuité qui consiste à présenter comme allant de soi ce qu'on dénonce :

> Je n'écris de savoir, entre les gens d'église[6].

Rythme animé de pauses expressives, d'effets variés alliés au jeu des accents et des muettes :

> Et les Muses de moi, comme étranges, s'enfuient[7].

---

**1.** Sonnet 19; **2.** C'est à partir de 1555, avec les *Hymnes* de Ronsard, que l'alexandrin s'imposa comme le vers noble, supplantant le décasyllabe « héroïque »; **3.** *Du Bellay, l'homme et l'œuvre*, page 148; **4.** Sonnet 39; **5.** Sonnet 108; **6.** Sonnet 79; **7.** Sonnet 6.

Poésie magique, incantatoire, dont le mouvement sait se faire plus martial parfois dans des vers dont la frappe annonce Corneille et Hugo :

Heureux de qui la mort de sa gloire est suivie[1].

Procédés savants, recherchés, réussissant à communiquer cette impression d'aisance et de facilité qui, à quelques rares exceptions près, caractérise dans *les Regrets* le vers lyrique aussi bien que le vers railleur.

**Le sonnet.**

Dans *les Regrets,* du Bellay utilise le plus souvent la formule dite « marotique » (se terminant par un quatrain à rimes embrassées) :

a b b a — a b b a — c c *d* — e e *d,*

et quelquefois la formule dite « régulière »[2] (se terminant par un quatrain à rimes croisées) :

a b b a — a b b a — c c *d* — e *d* e.

Comme dans presque toutes ses œuvres, du Bellay respecte l'alternance des rimes masculines et féminines que la *Défense* approuvait sans l'imposer[3].

Au demeurant, sur la rime, l'essentiel des recommandations de la *Défense* visait à interdire la rime du simple et du composé — prescription que *les Regrets* ne respectent pas toujours —, à éviter l'excès de contrainte et de lâcheté, et insistait une fois de plus sur l'effet musical de la rime, qui « sera telle que le vers tombant [= *s'achevant*] en icelle ne contentera moins l'oreille qu'une bien harmonieuse musique tombante en un bon et parfait accord »[4]. Mais plus que par le détail, si important soit-il : rythme ou rime — parfois simple assonance dans *les Regrets* —, l'art de Du Bellay s'impose par la réussite de l'ensemble du sonnet : « C'est dans *les Regrets* que le maître des sonnettistes français a porté sa manière à la perfection. »[5] A ce sujet, il faut consulter le chapitre consacré à la poésie élégiaque et satirique de Du Bellay par Henri Weber dans sa thèse[6], dont s'inspirent les remarques qui suivent.

Le sonnet reste influencé par la structure traditionnelle du sonnet pétrarquiste, surtout dans la partie élégiaque des *Regrets.* Mais plus

1. Sonnet 20; 2. Dix sonnets sur les cent treize retenus dans cette édition (20, 21, 27, 33, 46, 58, 73, 79, 81, 100); 3. « Il y en a qui fort superstitieusement entremêlent les vers masculins avec les féminins [...]. Je trouve cette diligence fort bonne, pourvu que tu n'en fasses point de religion jusques à contraindre ta diction pour observer telles choses » (*Défense*, livre II, chapitre IX); 4. Livre II, chapitre VII; 5. Joseph Vianey, *Chefs-d'œuvre du XVIe siècle*, 1932, page 119; 6. *La Création poétique au XVIe siècle en France*, tome Ier, chapitre VI, pages 413 à 462.

souvent que sur une comparaison, il est construit sur une **antithèse :** antithèse entre les trois premières strophes et la dernière (sonnet 11), ou le contraire (sonnet 19), entre les 13 premiers vers et le 14e (sonnet 5), entre quatrains et tercets (sonnet 6), chacun des quatrains, en outre, se combinant parfois avec l'un des tercets (sonnet 4). Antithèse de la structure qui accompagne, bien sûr, une antithèse des thèmes : opposition dans le sonnet 6 entre le passé (quatrains) et le présent (tercets), dans le sonnet 32 entre l'état d'âme naguère (quatrains) et la déception de la réalité (tercets); dans le sonnet 31, contraste entre les affirmations (1er quatrain) et les questions (2e quatrain), puis accélération du rythme dans un jeu serré d'antithèses ramassées chacune dans un vers (tercets); dans le sonnet 9, opposition entre la plainte (3 premières strophes) et l'amertume devant l'injustice (dernier tercet). C'est le déchirement et la déception du poète que traduit ainsi une pensée constamment antithétique. Dans un paragraphe intitulé « la Construction du sonnet, reflet de la vie intérieure »[1], Henri Weber interprète de la manière suivante le choix de cette structure à forme fixe par l'auteur des *Regrets :* « La construction de chaque sonnet et le schématisme apparent qu'elle révèle expriment [...] cet effort pour réduire la multiplicité confuse des impressions sentimentales à l'unité d'une forme qui se répète à travers de subtiles variations. »

Autre construction caractéristique du sonnet des *Regrets :* **l'énumération,** « répétition plus ou moins fréquente, plus ou moins discrète, d'une même formule »[2] — *ceux qui* (5), *bien que* (11), *j'aime*[3] et *je n'aime* (39), *je hais* (68), *je n'écris* (79), *ici* (127), *il fait bon voir* (81 et 133), *celui qui* (134). Dans le sonnet élégiaque, la répétition, en se combinant à l'antithèse, la rehausse. Ailleurs, la répétition suffit à créer l'antithèse, sans que celle-ci soit vraiment exprimée. Le dernier vers alors se charge soudain d'une violence proprement satirique :

Mais je hais par surtout un savoir pédantesque[4].

Du Bellay sait nuancer les effets de lourdeur et d'insistance provoqués par l'emploi de ce procédé, et « il y a, dans le détail de la construction des vers parallèles, de très subtiles recherches de symétrie et de dissymétrie »[5] : constructions normales alternant avec des inversions, échos d'un hémistiche à l'autre, allitérations répétées. Monotonie qui berce la douleur comme une complainte, ou dont le caractère

**1.** *La Création poétique au XVIe siècle en France*, page 422; **2.** *Ibid.*, page 422; **3.** Dans certains sonnets construits sur une anaphore antithétique, on retrouve l'ancienne tradition provençale du *plazer* et de l'*enveg* (ou *noie*), passée en Italie au XIVe siècle et transmise aux poètes de la Renaissance par Pétrarque. L'*enveg* est la répétition d'une expression indiquant le dégoût, la haine ou l'ennui au début de chaque vers (sonnet 68); le *plazer* est le contraire complémentaire de l'*enveg* (sonnet 39, où l'on trouve la fusion des deux genres); **4.** Sonnet 68; **5.** Henri Weber, *ouvr. cit.*, page 423.

lancinant de litanie — qu'Henri Weber rapproche « de la démarche essentielle de la chanson populaire qui répète souvent la même formule en variant seulement le substantif, l'image ou l'action évoquée »[1] — traduit le dégoût ou l'irritation qui obsèdent le poète, et le sentiment d'exaspération qui inspire *les Regrets.*

De même que la richesse du sonnet élégiaque naît dans une large mesure de la contrainte d'une structure étroite qui permet au poète « d'aiguiser les contrastes, d'élaguer les redondances, de réduire le sentiment à une forme plus pure en le soumettant à la discipline d'une subtile géométrie »[2], de même la maîtrise de Du Bellay dans ses sonnets satiriques (du moins avant le retour à Paris) gagne à ce resserrement une concision qui imprime au trait son contour saisissant et souvent impitoyable. La brièveté imposée à chacune des évocations, des constatations, des dénonciations, dessine une suite d'esquisses dont l'acuité et la verve sont dignes parfois d'être comparées à Daumier :

> Quand je vois ces Messieurs [...]
> D'un front audacieux cheminer flanc à flanc,
> Il me semble de voir quelque divinité.
> Mais les voyant pâlir lorsque sa Sainteté
> Crache dans un bassin[3]...

## Le lieu commun.

On l'a déjà remarqué : si sensible qu'elle soit, l'originalité des *Regrets,* où constamment apparaît un souvenir de culture, ne laisse pas de dérouter le lecteur peu habitué au XVIe siècle. Il consentira à se rappeler — ce qui n'est pas forcément accepter — l'influence très vivante alors de l'humanisme[4]. Il ira même jusqu'à apercevoir, au prix d'un effort d'imagination et de sympathie, la signification symbolique et émancipatrice de ces références constantes à l'Antiquité. Mais cela risquera d'être inutile s'il n'est pas averti de ce que représente la notion du « lieu commun ».

Le glissement de sens subi par l'expression est révélateur du changement de mentalité : selon nos façons de penser qui nous semblent évidentes, alors que cette « évidence » est toute récente, le lieu commun est fadeur et banalité. La tradition de l'Antiquité et du classicisme — un peu plus de deux millénaires en somme! — a saisi, au contraire, le lieu commun comme le signe même de l'art, de la profondeur de la pensée, dans la mesure où il signale la pérennité des idées et des valeurs. Loin d'être le trop facile cliché avec lequel nous le confondons, il témoigne de la permanence et, par conséquent, de la grandeur de ce qui est humain, et il constitue, pour celui qui le formule au terme d'une démarche personnelle, la certitude et la preuve de s'être haussé au niveau des plus grands. Acception radicalement

---

1. *La Création poétique au XVIe siècle en France,* page 425; 2. *Ibid.,* page 429; 3. Sonnet 118; 4. Au sens historique du mot.

opposée à la nôtre : c'est la conception classique selon laquelle l'originalité, si elle est indispensable, tient à la manière de dire plus qu'à ce qu'on dit.

Et dès lors on saisit mieux la surprenante originalité de Du Bellay dans *les Regrets :*

J'écris naïvement tout ce qu'au cœur me touche.

Cette édition des *Regrets* est précédée d'un Lexique du vocabulaire, d'un Répertoire des mythes, légendes, fictions et d'un Index des noms de personnes.

Les références qui y figurent ne concernent que les extraits de la « Dédicace à M. d'Avanson », le sonnet « A son livre », et les 113 sonnets des *Regrets* retenus pour cette édition.

Les renvois à ces trois nomenclatures sont signalés par les mots *Lexique, Répertoire, Index.*

# RÉPERTOIRE DES MYTHES ET LÉGENDES

*Les chiffres renvoient aux numéros des sonnets.*

**Achille :** héros de *l'Iliade*, fils de la déesse Thétis. Mortel invulnérable, sauf au talon; c'était le plus vaillant des guerriers grecs. Sa lance avait le pouvoir de guérir les blessures qu'elle causait (13).

**Age de fer :** voir *Age d'or* (170, 179).

**Age d'or.** Selon le mythe antique, l'histoire, depuis la création du monde par la mise en ordre des éléments du chaos, se divisait en quatre âges, chacun marquant un durcissement et une dégradation sur le précédent. Le premier, l'âge d'or, vit le règne du bonheur, de la concorde, de la paix et de la justice, dans un éternel printemps où le travail, la haine et la guerre étaient inconnus. Après l'âge d'argent et l'âge d'airain, le dernier, l'âge de fer, marqua l'avènement des calamités, de la violence et de la méchanceté, tandis que disparaissaient les vertus (125, 170, 179).

**Alcine :** personnage du *Roland furieux* de l'Arioste (1532). Magicienne, elle ensorcelle Astolphe, qu'elle transporte dans son royaume, symbole des voluptés, pour l'y changer en myrte. Elle inspire un violent amour à Roger, mais celui-ci, grâce à un anneau magique, se libère de cette passion en voyant l'être véritable d'Alcine : non pas une femme admirablement belle, mais une horrible vieille. Alcine symbolise la courtisane aux charmes trompeurs (87, 90).

**Amadis :** héros du roman de chevalerie espagnol *Amadis de Gaule*, qui figurera en bonne place dans la bibliothèque de Don Quichotte; sa vogue fut générale au XVIe siècle, même auprès des humanistes (voir Index, page 37 : *Gohory*). Lecture favorite de François Ier et de Charles Quint, c'est *Amadis* qui inspira, dit-on, à Ignace de Loyola l'idée de se faire aussi chevalier, « soldat de Dieu ». Montaigne parle, avec mépris il est vrai, des « *Lancelots du lac*, des *Amadis*, des *Huons de Bordeaux*, et tel fatras de livres à quoi l'enfance s'amuse » (*Essais*, I, 26), mais du Bellay, dès la *Défense et illustration*, faisait état de son goût pour ces vieux récits au point d'en recommander le sujet comme thèmes d'épopées françaises (livre II, chapitre V) [112].

**Amalthée :** chèvre fabuleuse, nourrice de Jupiter enfant, et dont la peau formait l'égide ou bouclier de Pallas (188).

**Apollon** ou **Phœbus :** dieu du Soleil, de la Lumière et du Chant, conducteur des Muses, protecteur de l'art et de la divination, pacificateur qui écarte tous les maux. Il portait l'arc, dont la flèche symbolise l'inspiration artistique. L'un de ses plus grands sanctuaires se trouvait à Delphes, où la Pythie rendait les oracles du dieu (7, 11, 156 et 4, 77).

**Astrée :** déesse de la Justice, qui séjourna parmi les hommes pendant l'âge d'or (170).

**Atlas :** Titan condamné à soutenir la voûte du ciel sur ses épaules. Hercule, à l'occasion de l'un de ses travaux, prit la place d'Atlas (108, 125).

**Augée** (ou **Augias**) : roi possesseur de nombreux troupeaux de bœufs, dont les étables (ou écuries), d'une saleté légendaire, furent nettoyées par Hercule (109).

**Chaos :** masse informe et confuse des éléments non séparés avant que leur répartition n'organisât le monde (78, 125).

**Charon** ou **Caron :** le nocher des Enfers qui, moyennant une obole, faisait traverser le Styx aux âmes des morts (17).

**Charybde** et **Scylle** (ou **Scylla**) : Charybde était un tourbillon marin du détroit de Messine, non loin d'un écueil appelé Scylla : l'un des nombreux périls que dut affronter Ulysse dans *l'Odyssée* (26).

**Circé :** magicienne qui, par ses charmes, retint Ulysse auprès d'elle durant de longues années (130).

**Cupidon** : fils de Vénus, représenté le plus souvent comme un enfant aveugle ou les yeux bandés, armé d'un arc et d'un carquois, figurant l'aveuglement fatal de l'amour (24).

**Damoclès** : voir Index, page 37.

**Démon** : « Tout ce qui est démonique est intermédiaire entre ce qui est mortel et ce qui est immortel [avec pour fonction] de faire connaître et de transmettre aux dieux ce qui vient des hommes, et aux hommes ce qui vient des dieux. [...] Étant intermédiaire entre les uns et les autres, ce qui est démonique en est complémentaire, de façon à mettre le Tout en liaison avec lui-même » (Platon, *le Banquet*, trad. L. Robin) [72, 87, 156].

**Écho** : nymphe des forêts, changée en rocher et condamnée à ne répéter que les mots prononcés devant elle (9).

**Fortune** : divinité personnifiant le hasard, le caprice des choses. Chance ou malchance, elle est imprévisiblement bonne ou mauvaise. On la représente les yeux bandés, sur un globe ou une roue ailée, allégorie des vicissitudes de l'existence (*Dédicace*, vers 36; sonnets 6, 24, 27, 43, 49, 51, 56, 82, 123).

**Francus** : fils d'Hector, auquel une tradition médiévale attribuait la fondation du royaume de France. Déjà reprise par le rhétoriqueur Jean Lemaire de Belges au début du XVIe siècle, cette légende formera le sujet de *la Franciade*, l'épopée de Ronsard (19).

**Ganymède** : échanson des dieux olympiens, aimé de Jupiter (105).

**Gorgone.** Au nombre de trois, les Gorgones étaient des monstres dont le regard avait le pouvoir de pétrifier qui les regardait. Seule Méduse (« la » Gorgone) était mortelle : elle fut tuée par Pallas (Minerve), mais sa tête, qui ornait l'égide de la déesse, gardait son pouvoir pétrifiant (188).

**Hector** : héros troyen de *l'Iliade*. Voir *Francus* (19).

**Hélicon** : montagne de Béotie, au pied de laquelle se trouvait Ascra, village natal d'Hésiode (voir Index), et d'où coulait la source Hippocrène. Consacrée à Apollon et aux Muses (2).

**Hercule** : l'un des héros les plus populaires de l'Antiquité, réputé pour sa force prodigieuse et pour ses douze travaux, qui consistaient à débarrasser l'univers d'êtres malfaisants (comme l'hydre de Lerne) et à accomplir des actions extraordinairement difficiles et dangereuses (par exemple nettoyer les écuries d'Augias, ou enlever les pommes d'or du jardin des Hespérides). Symbolisant le héros qui choisit la voie difficile plutôt que le chemin du plaisir, Hercule et ses douze travaux étaient tenus, selon une interprétation mystique, pour une image de l'âme qui se purifie par les épreuves jusqu'à se rendre immortelle. Cette légende restait d'autant plus en faveur parmi les humanistes du XVIe siècle que s'y greffait le mythe de l'« Hercule gaulois », maître du monde (voir *Défense* et *illustration,* livre II, Conclusion) [108, 109].

**Hippocrène** : voir *Pégase*.

**Hydre de Lerne** : monstre d'une grandeur démesurée, tué par Hercule malgré la difficulté de l'entreprise. L'Hydre avait en effet neuf têtes et, dès qu'on en coupait une, il en repoussait deux; en outre, la neuvième était immortelle (108).

**Janus** : dieu de la Guerre à Rome, dont le temple était fermé en temps de paix (116).

**Jason** : héros légendaire qui conduisit l'expédition des Argonautes à la conquête de la Toison d'or en Colchide (31).

**Job** : personnage biblique de l'Ancien Testament, symbolisant couramment la pauvreté, mais aussi la patience et la résignation en face des épreuves envoyées par Dieu (112).

**Jupiter** : roi des dieux et des hommes, maître de la Lumière et de la Foudre, il veille à l'ordre du monde. Sur l'Olympe, il se nourrit d'ambroisie et boit le nectar. Père de Pallas, qui naquit, grâce à un coup de hache judicieusement asséné par Vulcain, tout armée et casquée de la tête du dieu (104, 119, 188).

**Lapithes :** peuple mythologique de Thessalie, célèbre par sa querelle contre les Centaures. Aux enfers, leur châtiment était d'être sous la menace constante d'un rocher sur le point de basculer (118).

**Mars :** dieu de la Guerre, et signe du zodiaque (25, 83, 116).

**Méduse :** voir *Gorgone.*

**Mégère :** l'une des trois Furies. Elles n'apparaissaient que pour tourmenter les criminels (69).

**Mercure :** dieu des Voyages et du Commerce, messager et complice des autres dieux dans leurs entreprises diverses, en particulier de Jupiter, son père (102).

**Muses** ou **la Troupe, le Troupeau :** neuf sœurs, filles de Jupiter et de Mnémosyne, la déesse de la Mémoire. Elles personnifient tout ce qui, dans le monde, est art; séjournant sur le Parnasse ou l'Hélicon, leur chœur est présidé par Apollon. (Voir *Uranie.*) Dans *les Regrets,* elles désignent l'inspiration poétique. (*Dédicace,* vers 1, 25-40, 59; sonnets 6, 7, 11, 29, 84, 130.)

**Neptune :** dieu de la Mer et des Eaux, souvent hostile et malfaisant (51, 56).

**Nestor :** personnage de *l'Iliade* et de *l'Odyssée,* vieillard prudent et sage, le type du conseiller compétent et respecté (19).

**Nymphes :** divinités des bois, des eaux, des collines. Elles figurent la grâce et la fraîcheur de la nature (90).

**Œdipe :** héros thébain, parricide et incestueux malgré lui (134).

**Oreste :** fils d'Agamemnon. Il tua sa mère Clytemnestre pour venger son père assassiné par elle au retour de Troie (134).

**Orphée :** héros thrace, fils de la Muse Calliope; c'est le chanteur, le musicien, le poète par excellence, dont la fonction sacrée se confond avec celle du prêtre. Son art charmait la nature (bêtes, fleuves, vents, rochers, plantes) et les hommes, aussi bien que les dieux, même infernaux. La légende d'Orphée, mythe de la puissance poétique plus forte que la mort et que l'ordre du monde, a été traitée par maints artistes, en particulier au XVIe siècle (20).

**Pallas** ou **Athéné :** déesse de la Raison, de l'Intelligence, guerrière et pacificatrice, patronne d'Athènes. C'est la personnification de la sagesse et de la vertu. Elle portait l'égide (bouclier), faite de la peau de la chèvre Amalthée et ornée de la tête de Méduse. Sur sa naissance, voir *Jupiter.* Les Romains l'appellent *Minerve* (188).

**Palmerin :** héros de deux romans de chevalerie espagnols du XVIe siècle *Palmerin d'Olive* et *Palmerin d'Angleterre.* Voir *Amadis* (112).

**Pandore :** la première femme, forgée sur l'ordre de Jupiter pour punir Prométhée. Elle portait une boîte admirablement belle : une fois ouverte, celle-ci laissa échapper tous les maux de l'humanité, à qui seule l'espérance demeura (179).

**Parnasse :** montagne de Grèce, séjour d'Apollon et des Muses (7).

**Parques :** divinités infernales, au nombre de trois; maîtresses de la vie des hommes, dont elles filent la trame. Au singulier, *la Parque* désigne la plus redoutable, celle qui coupe le fil, la Mort (118).

**Pégase :** cheval ailé au service des dieux, qui, d'un coup de pied, fit jaillir au flanc de l'Hélicon la source Hippocrène, où les poètes puisent l'inspiration (2).

**Phœbus :** voir *Apollon.*

**Prométhée :** Titan qui suscita le courroux de Jupiter pour avoir révélé le feu aux hommes. En guise de châtiment, il fut enchaîné au Caucase, où un aigle venait chaque jour lui dévorer le foie (siège des sentiments chez les Grecs) [10].

**Pyrrhe** ou **Pyrrha :** fille d'Épiméthée et de Pandore; sa piété lui valut d'échapper, avec son mari Deucalion, au déluge envoyé sur la Terre par Jupiter. Les pierres qu'elle jeta, sur l'ordre des dieux, donnèrent naissance aux femmes, tandis que de celles que jetait Deucalion naquirent les hommes (99).

**Pythie :** prêtresse de l'oracle de Delphes, inspirée par Apollon. Assise sur un trépied au-dessus d'un gouffre d'où s'échappaient des vapeurs, la Pythie rendait ses oracles au printemps, dans des transports frénétiques, par des cris et des hurlements que les prêtres de Delphes interprétaient en termes toujours ambigus (7, 156).

**Roland :** héros du *Roland furieux* de l'Arioste (1532) : c'est, avec bien des différences, le personnage, chevalier vaillant, de la chanson de geste (71).

**Saturne :** père de Jupiter, divinité redoutable. Signe du zodiaque, d'influence maléfique (25).

**Sibylle :** femme à laquelle on attribuait le pouvoir de prédire l'avenir dans des oracles, dont l'un des plus célèbres était celui de Cumes. Au XVIe siècle, Michel-Ange peint les Sibylles dans ses fresques de la chapelle Sixtine (97).

**Sirènes :** êtres fabuleux qui charmaient les marins par la douceur de leur voix et les attiraient sur des récifs, dans la région du détroit de Messine. Ulysse sut résister aux Sirènes (26, 130).

**Styx :** fleuve qui faisait neuf fois le tour des Enfers, et dont Charon était le passeur. Aucun mortel ne pouvait le franchir plus d'une fois, c'est-à-dire revenir des Enfers (136).

**Troie :** ville d'Asie, enjeu de la guerre chantée par Homère dans *l'Iliade*. Le siège de Troie dura dix ans (36, 114).

**Ulysse :** héros de *l'Odyssée*, qui retrace ses aventures pendant les dix années où la haine de Neptune le condamna à errer sur la Méditerranée avant de pouvoir rentrer chez lui, à Ithaque. Une fois de retour, il dut encore lutter contre ceux qui, prétendant à la main de sa femme Pénélope, convoitaient ses biens : il les extermina grâce à son arc, qu'aucun autre homme que lui ne pouvait tendre. Voir *Charybde, Circé, Sirènes* (31, 130).

**Uranie :** l'une des neuf Muses; elle présidait à l'astronomie et à la géométrie. C'est, en somme, la muse scientifique (156).

**Vénus :** déesse de l'Amour (80).

**Vulcain :** dieu du Feu et du Travail des métaux. Il joua un rôle dans la naissance de Pallas. Voir *Jupiter* (188).

# INDEX DES NOMS DE PERSONNES

*Les chiffres entre parenthèses renvoient aux numéros des sonnets.*

**Adrien** ou **Hadrien :** empereur romain (76-138 apr. J.-C.). Il se fit élever à Rome un mausolée devenu le château Saint-Ange (113).

**Antonin :** empereur romain, successeur d'Adrien (107).

**Aristarque :** critique alexandrin (IIe siècle av. J.-C.). Célèbre par son travail sur Homère. Son érudition judicieuse fait de lui le type du censeur sévère et éclairé. Ce n'est qu'à partir du XVIIIe siècle que son nom évoquera l'idée d'une sévérité excessive dans la critique (66).

**Avanson** (Jean de **Saint-Marcel,** seigneur d') : juriste, conseiller d'Henri II, qui, en 1555, le nomma ambassadeur de France auprès du Saint-Siège, rival en somme du cardinal du Bellay. C'est à lui que sont dédicacés *les Regrets* (*Dédic. à M. d'Av.*, 16).

**Baïf** (Jean Antoine de) : poète (1532-1589). Fils de l'humaniste Lazare de Baïf et ami de jeunesse de Ronsard, élève de l'helléniste Dorat, fondateur de la Brigade avec Ronsard et du Bellay. Pétrarquiste d'abord, il tenta ensuite de rivaliser avec Hésiode et Virgile. Il s'efforça, en vain, d'acclimater une nouvelle métrique fondée sur l'alternance des longues et des brèves, à l'imitation des Anciens (24, 56, 156).

**Bellay** (Jean du) : prélat (1492-1560), cousin germain du père de Joachim du Bellay. Humaniste, protecteur des lettrés et des artistes, notamment de Rabelais, cardinal-évêque de Paris, ambassadeur de François Ier, puis d'Henri II, ce fut en son temps un personnage considérable, dont la carrière diplomatique s'acheva avec la disgrâce qu'évoque le sonnet 49, en 1555. Il mourut à Rome, doyen du Sacré Collège et évêque d'Ostie, un mois après le poète. C'est lui qui, en 1553, emmena Joachim à Rome (49).

**Belleau** (Remi) [1528-1577]. Poète sensible à la beauté des paysages champêtres, c'est en outre un humaniste qui traduisit du grec les *Odes* du Pseudo-Anacréon (71, 135, 145, 156).

**Bizet** ou **de Bize** (Claude) : ecclésiastique, successeur de Rabelais en 1553 dans sa cure du diocèse du Mans, chanoine à Notre-Dame de Paris. Ami de Du Bellay, il fut pendant le séjour de celui-ci à Rome son procureur dans le procès pour la terre d'Oudon. C'est dans sa maison du cloître Notre-Dame que le poète mourut le 1er janvier 1560 (136, 143).

**Boucher** (Étienne) : ecclésiastique, secrétaire de M. de Lansac, (ambassadeur de France à Rome). Son rôle diplomatique y fut des plus actifs en 1553 et 1554. Il s'occupait aussi des procès de Catherine de Médicis en Italie (14).

**Bouju** (Jacques) : poète angevin (1515-1577). Auteur de vers latins et français, souvent mentionné par Ronsard et par du Bellay (90).

**Brusquet** (Jean Antoine **Lombard,** dit). Bouffon d'Henri II, il avait accompagné le cardinal de Lorraine dans son voyage à Rome en 1557. Brantôme signale ses bons mots et ses tours (119).

**Carafa** ou **Caraffa** (Carlo) : cardinal romain, neveu de Paul IV, comblé de faveurs par le pape. Corrompu et intrigant, ennemi du cardinal du Bellay, qu'il contribua à faire tomber en disgrâce, il est rallié au parti français des Guises, interventionniste et guerrier. (Il ne faut pas confondre le cardinal Carlo Carafa avec Paul IV, lui-même cardinal Carafa avant son accession au trône de Saint-Pierre) [49].

**Cassandre :** fille du banquier Salviati. Elle fut peut-être aimée de Ronsard — prétexte en tout cas à des variations pétrarquistes notamment dans le recueil des *Amours* de 1552 (19).

**Charles Quint :** roi d'Espagne (1500-1558), empereur depuis 1519, maître des Pays-Bas, de la Franche-Comté, de l'Espagne et de ses dépendances (Naples, la Sicile, les colonies d'Amérique). Ses possessions gigantesques enserraient la

France, et il lutta constamment contre François Ier et Henri II. Il abdiqua en 1555-1556 au profit de son fils Philippe II (Pays-Bas et Espagne) et de son frère Ferdinand Ier (Empire et Autriche), pour se cloîtrer, en 1557, au monastère de Yuste, en Espagne, où il devait mourir. Son abdication frappa l'Europe de stupeur (111).

**Clouet** (François) : voir ***Janet.***

**Cousin** : probablement Guillaume Cousin, procureur du connétable de Montmorency dans son procès contre les du Bellay (142).

**Damoclès** : courtisan du tyran de Syracuse Denys l'Ancien (IVe siècle av. J.-C.). Traité somptueusement par celui-ci dans un festin, il vit soudain une lourde épée suspendue au-dessus de sa tête et retenue par un simple crin de cheval. L'épée de Damoclès symbolise les dangers qui menacent une apparente prospérité (118).

**Denisot** (Nicolas) : peintre et poète (1515-1559). Compagnon du collège de Coqueret, il se faisait appeler « Conte (c'est-à-dire Comte) d'Alsinois » par anagramme (21).

**Denys le Jeune**: tyran de Syracuse (IVe siècle av. J.-C.). Fils de Denys l'Ancien, il fut banni de son pays et devint maître d'école à Corinthe (66).

**Diane de Poitiers** : favorite d'Henri II (1499-1566). Protectrice des artistes plutôt que des poètes. Le roi fit construire pour elle le château d'Anet (159).

**Dilliers** ou **d'Illiers** : ami commun à du Bellay et à Magny (50, 62, 77, 116).

**Dioclétien** : empereur romain (245-313) [107].

**Dorat** ou **Daurat** (Jean) : humaniste (1508-1588). L'un des meilleurs hellénistes de son temps, principal du collège de Coqueret, il fut le maître vénéré de Ronsard, de Baïf et de Du Bellay. L'influence de son enseignement a été considérable sur les hommes de la Pléiade, et par conséquent sur l'évolution de la poésie française (130, 179).

**Doulcin** (Rémy) : prêtre et médecin qui fut en relation avec Rabelais (97).

**Duthier** ou **du Thier** (Jean) : très grand personnage, conseiller du roi et secrétaire d'Etat, particulièrement préposé aux affaires italiennes. Protecteur des poètes : du Bellay lui adressa la Dédicace des *Divers Jeux rustiques* (82).

**Gohory** (Jacques) : auteur d'un grand nombre d'ouvrages de philosophie et de sciences, de traductions (Tite-Live et Machiavel), et adaptateur moderne de romans de chevalerie. Il donna en 1552 et 1554 la traduction des Xe et XIe livres d'*Amadis de Gaule* (voir Répertoire, page 32) [72].

**Gordes** (Jean Antoine de **Simiane,** seigneur de **Cabanes** et de) [1525-1562]. Protonotaire apostolique (officier de la cour de Rome), ami de Du Bellay, avec qui il se trouvait à Rome, probablement attaché lui aussi à la personne du cardinal du Bellay (53, 61, 73, 75).

**Guise** (François de **Lorraine,** duc de) : illustre capitaine (1519-1563). Victorieux à Metz devant Charles Quint en 1553, il fit son entrée à Rome en mars 1557, avant de diriger l'expédition de Naples à la suite de la rupture de la trêve de Vaucelles. Le désastre de Saint-Quentin (août 1557) le rappela précipitamment en France. Il devint le chef du parti catholique au début des guerres de Religion (131).

**Henri II** : fils de François Ier, roi de France de 1547 à 1559. La durée de son règne coïncide à peu près exactement avec l'épanouissement de la carrière poétique de Du Bellay. Quoi qu'en disent les éloges plus ou moins officiels des poètes, Henri II, au contraire de son père, est un médiocre protecteur des lettres, qui l'intéressent moins que la chasse et les sports. A la fin de son règne s'achèvent les guerres d'Italie; peu après sa mort, survenue accidentellement à l'occasion d'un tournoi, vont commencer les guerres de Religion, que ce roi a contribué à préparer par ses mesures contre les réformés (sonnet « A son livre »; 5, 7, 8, 16, 19, 20, 24, 63, 79, 112, 119, 150, 191).

**Hésiode :** poète grec né à Ascra, en Béotie (VIIIe siècle av. J.-C.), auteur de *la Théogonie* et *les Travaux et les Jours*. Son influence fut grande chez les Anciens, qui le considéraient comme le chantre des travaux pacifiques, par opposition à Homère le belliqueux (2).

**Horace :** poète latin (Ier siècle av. J.-C.). Ami de Mécène, auteur de *Satires* et d'*Epîtres* (qui contiennent l'*Art poétique*), profondément admiré, considéré comme un maître par les plus grands poètes (4, 62).

**Janet** (François **Clouet,** dit) : peintre (1516-1572). Fils du peintre officiel de la cour de François Ier, il parvint à une notoriété plus grande que celle de son père. Il a laissé les portraits d'un grand nombre de personnages de la cour d'Henri II dont il est question dans *les Regrets* (21).

**Jodelle** (Étienne) : poète et dramaturge (1532-1573). Il est l'auteur, avec *Cléopâtre,* de la première tragédie « régulière » française. Compagnon de la Pléiade, il se plaignait couramment du malheur des temps et de l'ingratitude dont étaient victimes les hommes de lettres (156).

**Jules III :** pape de 1550 à 1555; voluptueux épicurien, gourmand de toutes sortes de plaisirs (notamment, à en croire le sonnet 104, de légumes). C'est auprès de ce personnage fort peu ascétique que fut envoyé en 1553 le cardinal du Bellay par le roi de France, qui voulait s'assurer son appui (104, 105, 109, 113).

**La Haye** (Robert de). Conseiller au parlement de Paris et auteur de quelques pièces latines, il admirait vivement Ronsard et du Bellay (28).

**Le Breton** (Nicolas) : ecclésiastique et humaniste (1506-1574). Il vécut quelque temps à Rome comme secrétaire du cardinal du Bellay, puis du cardinal de Lorraine. Par la suite, du Bellay s'est plaint que, sans son accord, Le Breton ait fait circuler, pour les vendre aux Français de Rome, des copies clandestines de ses *Regrets* (58).

**Le Roy** (Louis), dit **Regius :** humaniste, ami de Du Bellay. De Rome, le poète apprit que Le Roy avait médit de lui, et sa colère s'exprima dans des sonnets furieux. Cette brouille, d'ailleurs, ne dura guère : en 1558 paraissait la traduction du *Banquet* de Platon, donnée par Le Roy avec la collaboration de Du Bellay (66, 67, 68, 69).

**Lestrange** (Charles de) : ecclésiastique au service du cardinal de Lorraine, à Rome. Il composait des vers (63).

**Lucrèce :** Romaine vertueuse, qui, selon la tradition, fut violée par le fils de Tarquin le Superbe, dernier roi de Rome, et qui se poignarda sous les yeux de son mari. Son nom évoque l'image de la chasteté et de l'honneur (100).

**Magny** (Olivier de) : poète (1529?-1561). Secrétaire de d'Avanson, Magny arriva à Rome en 1555. C'est à l'occasion de ce voyage que, de passage à Lyon, il s'éprit de Louise Labé. Il rencontra du Bellay à Rome et se lia avec lui : comme lui, il n'appréciait guère la vie qu'il y menait. Il y composa ses *Soupirs* (voir Documents, page 161), recueil de sonnets non sans analogie avec *les Regrets* (12, 16, 67, 133).

**Maraud** (Charles) : valet de chambre (au sens de l'époque, c'est-à-dire quelque chose comme « secrétaire ») du cardinal du Bellay à Rome (54).

**Marcel II :** pape, successeur de Jules III. Ce prélat d'une vie exemplaire, qui songeait ardemment à réformer l'Église, mourut à 55 ans en 1555, après trois semaines de pontificat. C'est lui qui inspira la célèbre *Messe du pape Marcel* de Palestrina, composée, ou tout au moins commencée, sous son règne (109, 113).

**Marguerite de Valois :** princesse française (1523-1574). Sœur d'Henri II, protectrice des lettres et des arts, en particulier de Du Bellay et des poètes de la Pléiade. Cultivée et vertueuse, elle semble avoir inspiré à du Bellay un respect et une admiration sincères. Elle allait devenir par son mariage en 1559 duchesse de Savoie (7, 8, 79, 179, 181, 188).

**Marie Stuart :** reine d'Écosse (1542-1587). Elle devait épouser en 1558 le Dauphin, futur François II. Descendante d'Henri VII Tudor, elle prétendait

en outre au trône d'Angleterre. On sait que, veuve dès 1560, elle retourna en Écosse et finit par abdiquer et se réfugier en Angleterre, où, après dix-huit ans de captivité, elle fut exécutée sur l'ordre d'Élisabeth (170).

**Marseille** : secrétaire de Lansac, ambassadeur de France à Rome (134).

**Mauny** : personnage dont l'identité est mal assurée. Il peut s'agir de François de Mauny, évêque de Saint-Brieuc et proche parent du cardinal du Bellay, qui fit un voyage à Rome en 1554, ou bien de Mathieu de Mauny, clerc de la suite du cardinal du Bellay (51, 87).

**Melin** (ou **Mellin**) **de Saint-Gelais** : poète (1491-1558). Ami et rival de Marot, comblé de louanges par ses admirateurs, il ne publia à peu près rien. Poète officiel (Ronsard lui succédera), il fut pris à partie dans la *Défense et illustration*. On sait qu'à la Cour ses partisans se querellèrent avec ceux de la nouvelle école. Mais à la date du séjour de Du Bellay à Rome, les brouilles se sont dissipées, et la Pléiade s'est réconciliée avec ses anciens adversaires (voir ***Sibilet***) [101].

**Michel-Ange** : l'un des plus grands, peut-être le plus grand des artistes italiens du XVIe siècle (1475-1564). Du Bellay peut l'avoir vu travailler pendant son séjour à Rome (21).

**Montmorency** (Anne de) : connétable de France (1492-1567). Grand favori très écouté du roi, son autorité n'était balancée que par la puissance des Guises. Compagnon de la captivité de François Ier à Madrid, chef militaire célébré pour ses victoires passées sur Charles Quint, mais jouissant en fait d'une renommée supérieure à sa valeur, c'était un homme vaniteux, brutal, réputé pour son avidité et son avarice, tirant parti de sa position pour mener à bien ses multiples procès. Tel était l'adversaire, très redoutable, de Du Bellay dans son procès pour la châtellenie d'Oudon, présent dans *les Regrets* par de multiples allusions plus ou moins voilées : jamais le poète n'ose l'attaquer directement. D'autre part, pour compliquer les choses, Montmorency dirige, en France, contre les Guises interventionnistes et guerriers, le parti de la paix, auquel est rallié le cardinal du Bellay dans son action diplomatique et politique (voir Notice, page 13) [19].

**Morel d'Embrun** (Jean) : gentilhomme (1511-1581), officier de Marguerite de Valois. Lettré et humaniste, c'était un ami intime de Du Bellay, qui lui adressa une élégie latine pleine de renseignements précieux sur sa vie et son caractère. La femme de Jean Morel, Antoinette de Luynes, séduisante et cultivée, poétesse en grec et en latin, tenait le salon le plus en vue de Paris. C'est Morel qui, avec Guillaume Aubert, fera paraître en 1568-1569 les *Œuvres complètes* (posthumes) de Du Bellay (33, 36, 39, 85, 105, 111, 131).

**Néron** : empereur romain réputé pour ses débauches et sa cruauté (Ier siècle). On l'a accusé d'être le responsable du grand incendie qui dévasta Rome en 64 : contemplant de son palais ce terrible spectacle, Néron, dit-on, chantait et récitait des poèmes (114).

**Ovide** : l'un des plus grands poètes latins (43 av. J.-C. - 17 apr. J.-C.). Son œuvre n'a cessé d'inspirer la poésie européenne, y compris au Moyen Age. Auteur de l'*Art d'aimer* et des *Métamorphoses*, il encourut la disgrâce d'Auguste pour des raisons mal éclaircies, et il mourut en exil sur les rives du Pont-Euxin (en Roumanie actuelle). C'est là qu'il composa *les Tristes* et *les Pontiques*, dont du Bellay, plus ou moins directement, s'inspire souvent dans *les Regrets* (voir Documents, page 159) [10].

**Panjas** (Jean de **Pardeillan,** sieur de) : auteur de poésies latines et françaises. Également secrétaire d'un diplomate, il appartenait à la suite du cardinal d'Armagnac à Rome (15, 16).

**Paschal** (Pierre de) : historien, grand ami de Ronsard et de Du Bellay, il avait annoncé son intention de rédiger un ouvrage célébrant les grands Français de son temps, et en particulier les poètes, ouvrage qui ne fut jamais composé (2, 66, 81, 102, 188).

**Paul IV.** Devenu pape à soixante-dix-neuf ans, en 1555, après la mort de Marcel II, il prépara aussitôt la guerre contre l'Espagne, qu'en bon Napolitain il haïssait, en signant un traité d'alliance avec la France. Élu en grande partie grâce aux efforts du cardinal du Bellay, il n'en délaissa pas moins celui-ci pour combler d'honneurs ses propres neveux et en particulier le plus jeune, Carlo Carafa, qui devint cardinal et Premier ministre. Restaurateur de l'Inquisition sous le règne de Paul III, Paul IV intensifiera la lutte contre le protestantisme pendant toute la durée de son pontificat (111, 113, 116, 118, 119).

**Peletier du Mans** (Jacques) : poète (1517-1582). Ami de Ronsard et de Du Bellay, humaniste, traducteur de l'*Art poétique* d'Horace, admirateur de Pétrarque, dont il s'inspira dans ses *Œuvres poétiques* (1547), il composa aussi des poésies scientifiques et philosophiques. Son influence fut déterminante, notamment à l'occasion de la *Défense et illustration* (78, 156).

**Pétrarque :** poète et humaniste italien (1304-1374). Il vécut longtemps dans la région d'Avignon. Il est connu de la postérité surtout par son recueil du *Canzoniere*, poèmes italiens célébrant son amour pour Laure, admirables tant par leur forme que par la richesse de leur inspiration; son influence sur toute l'Europe fut considérable au XVIe siècle. En France, du Bellay fut l'un de ceux qui contribuèrent le plus efficacement à l'imposer avec *l'Olive* (4).

**Rabelais** (François) : humaniste et écrivain (1494-1553). Auteur de la « geste » de *Pantagruel*. Moine, prêtre, helléniste, juriste, médecin, voyageur : sa vie aussi bien que son œuvre représentent cette curiosité, cette soif de savoir, ce « gigantisme » caractéristiques de la Renaissance, à ses débuts surtout. Il fut lui aussi protégé par le cardinal du Bellay (135).

**Robertet** (Florimond) : petit-fils du secrétaire des Finances sous Charles VIII, Louis XII et François Ier, il fut de passage à Rome à la fin de 1555 (83).

**Ronsard** (Pierre de) : poète (1524-1585). Ami personnel de Du Bellay, il est l'animateur de la Pléiade, honoré par tous comme le premier (1, 4, 8, 10, 16, 17, 19, 20, 26, 140, 152, 181).

**Saint-Gelais** (Melin de) : voir ***Melin*** (ou ***Mellin***).

**Scipion l'Ancien** ou **l'Africain :** général romain et homme politique. Vainqueur d'Hannibal à Zama, au sud de Carthage, il fut contraint par ses adversaires politiques de quitter Rome pour terminer ses jours dans sa villa de Campanie. Une anecdote, à laquelle du Bellay fait allusion, rapporte que Scipion, dans son exil, reçut la visite de brigands (les « barbares corsaires ») venus lui rendre hommage en lui offrant des témoignages de vénération comme à un dieu (50).

**Sibilet** ou **Sébillet** (Thomas) [1512-1589]. Avocat au parlement de Paris et auteur, en 1548, d'un *Art poétique* qui suscita de la part des jeunes gens du collège de Coqueret une riposte : la *Défense et illustration de la langue française*. Depuis lors, les poètes de la Pléiade s'étaient réconciliés avec leurs anciens adversaires (voir ***Melin*** [ou ***Mellin***] ***de Saint-Gelais***) [122].

**Thaïs.** Nom de deux courtisanes : l'une, grecque, vivant au IVe siècle av. J.-C., fut la favorite d'Alexandre, puis celle du roi d'Égypte Ptolémée Ier; l'autre, égyptienne, vivant au IVe siècle apr. J.-C., se convertit et fut canonisée (100).

**Ursin :** personnage dont l'identification est incertaine. Il peut s'agir d'un Italien ou d'un Français. Dans la première hypothèse, on a proposé les noms de Fulvio Orsini, humaniste romain, mais qui n'aimait guère les Français, et d'un Orsini capitaine au service de la France. Dans la seconde, que semblerait confirmer le sonnet 112, ce peut être Jean Juvénal des Ursins, chanoine de Notre-Dame de Paris et grand vicaire du cardinal du Bellay, ou Léon des Ursins, évêque de Fréjus, présent à Rome en même temps que du Bellay (100, 112).

**Vineus** (Jérôme della **Rovere,** sieur de) : prélat. De la famille des ducs d'Urbin, il fut envoyé à Rome par Henri II en ambassade extraordinaire après la disgrâce du cardinal du Bellay, en 1556, puis en 1557 (42, 43, 46).

# LEXIQUE DU VOCABULAIRE DES « REGRETS »

*On trouvera dans ce Lexique les mots qui évoquent les thèmes les plus significatifs des* Regrets *et qui reviennent avec le plus d'insistance dans le recueil. Ces mots sont marqués d'un astérisque* dans le texte.*

*Les chiffres indiqués entre parenthèses sans autre précision renvoient aux numéros des sonnets. Les abréviations* Dédic. à M. d'Av. *et* A s. liv. *renvoient à la « Dédicace à M. d'Avanson » (page 47) et au sonnet « A son livre » (page 50).*

**Age :** employé parfois au sens actuel (*Dédic. à M. d'Av.*, vers 6; sonnet 111). — Evoque l'idée de ***vieillesse*** (125). — Désigne une division du temps, une période (*Dédic. à M. d'Av.*, vers 3; sonnet 179). — Synonyme de « vie » : la vie considérée dans sa durée (13, 16, 31, 32, 38, 94). — En rapport avec le thème du ***temps.***

**Ambition (ambitieux) :** toujours péjoratif, désigne l'avidité d'*honneurs*, la volonté de parvenir (*Dédic. à M. d'Av.*, vers 34; sonnets 11, 27, 37, 38, 73, 78, 81, 82, 179). Sens parfois confondu avec celui d'***avarice.***

**Amitié (ami, amie) :** employé à l'occasion de réflexions générales (51, 61, 63, 71, 79, 134, 140, 143, 152, 170), le mot évoque parfois les amitiés personnelles de Du Bellay (19, 43, 59), ou l'amour (156). En rapport avec la préoccupation satirique (62).

**Argent :** thème important évoqué soit directement par ce mot (15, 61, 86, 152), soit par d'autres termes, dont les plus fréquents sont **banque, banquier, créditeur, dépense, usure.** Il s'agit toujours de constatations dont le nombre révèle la préoccupation que représente l'*argent* pour du Bellay. Néanmoins, le jugement qu'il formule à ce propos n'est guère qu'implicite : mépris de gentilhomme pour qui « thésauriser est fait de vilain »?

**Art :** voir ***Poésie.***

**Avarice (avare) :** désigne la cupidité sous toutes ses formes, celle des *richesses* (11, 39, 68, 126, 179), aussi bien que celle des ***honneurs*** (*Dédic. à M. d'Av.*, vers 39; sonnets 71, 116, 136).

**Bord :** sens poétique de « contrée », « pays » (10, 16, 17, 27, 28, 37, 77, 87, 116). En rapport avec le thème de l'***exil,*** comme ***rivage*** et ***rive.***

**Chanter (chant, chanson) :** voir ***Poésie.***

**Chétif :** sens moral, proche de l'origine latine (*captivus*, prisonnier); mot particulièrement apte à évoquer la condition d'***exilé*** du poète (*A s. liv.*; sonnets 17, 24, 39, 42).

**Complainte :** voir ***Plainte.***

**Courtisan :** sauf une fois (105), le mot est employé de manière non élogieuse et même avec une nuance plus ou moins affirmée de mépris (5, 11, 75, 82, 86, 142, 149). — A rapprocher de l'image injurieuse : « Ces vieux singes de cour » (150).

**Docte :** voir ***Savoir.***

**Ennui (ennuyer, ennuyeux) :** souffrance, tourment, au sens très fort de « torture morale ». Sauf une fois (114), il s'agit toujours des souffrances personnelles du poète (*Dédic. à M. d'Av.*, vers 4, 27 et 80; *A s. liv.*; sonnets 6, 10, 11, 12, 14, 24, 32, 36, 37, 39, 42, 45, 130). Ce mot est donc caractéristique de la partie élégiaque du recueil. — **Désennuyer :** rasséréner (59).

**Envie (envieux) :** non seulement le dépit et la convoitise, mais aussi la malveillance active. Du Bellay en parle comme d'une caractéristique de l'époque et des milieux de cour (20, 37, 38, 50, 94, 126, 136, 145, 179). Il en signale les méfaits sur le cardinal (49), sur lui-même (49, 69). Mais il se proclame étranger et insensible à l'*envie* (*Dédic. à M. d'Av.*, vers 36; *A s. liv.*). — Mot à rapprocher de ***malice***, évoquant la volonté de nuire, la méchanceté (39, 49, 68, 73, 179), et de ***malin*** (*A s. liv.*).

**Espoir** : attente (10, 16, 19, 38, 45). — Même sens pour **espérer** (44). — On rencontre aussi *espoir* employé au sens moderne (56, 130).

**Étrange, étranger** : noms ou adjectifs, les deux mots se confondent au XVIe siècle; on les trouve indifféremment pour exprimer l'acception moderne du mot *étrange*, au sens d'« insolite » (80, 138, 156), celle du mot *étranger* évoquant alors la condition de ***l'exil*** (10, 16, 24, 27, 37, 38, 63, 79), ou désignant simplement ce qui n'est pas français (123), ce qui est inconnu (85), autre ou différent (6, 45, 49). — Le verbe **s'étranger** (87) signifie « partir ».

**Exil** : très peu employé (50), le mot évoque pourtant un thème fondamental qui s'exprime, directement ou par allusion, de bien des manières, par les mots **absent, Anjou** et **angevine, banni(r), désir(er), France, loin, maison, province, retour(ner), voyage(r).** — Voir aussi ***bord, chétif, étrange, poindre, rivage.***

**Fâcher (fâcheux)** : sens très fort d'« irriter », « contrarier », « tourmenter » (*Dédic. à M. d'Av.*, vers 83; sonnets 5, 14, 59, 62, 67, 100, 123, 143). — **Défâcher** : apaiser, rasséréner (14).

**Faveur (favorable, favori, favoriser)** : bienveillance et protection accordées par les puissants : rois et princes (5, 7, 8, 19, 20, 49, 71, 79, 94, 149), pape (113), dieux (51), Muse (*Dédic. à M. d'Av.*, vers 1 et 8), et qu'on accorde à son tour aux moins heureux que soi (61, 69). Au sens de *favori*, on trouve, sans nuance péjorative, le mot **mignon** (63, 75, 105). — Dans l'ensemble, l'évocation de la *faveur* apparaît sans coloration de blâme : au XVIe siècle, les valeurs chevaleresques sont encore admises, et la faveur ainsi considérée s'octroie normalement et ***honorablement*** en échange du ***service.*** En outre, elle est le fondement du régime de cour. On critique cependant le *favori* qui profite de son avantage pour nuire (126), et le ***bonheur*** véritable apparaît comme indépendant de la *faveur* (38).

**Feintise (feindre)** : imposture, dissimulation qui, à en juger par *les Regrets*, est un trait caractéristique de la société du temps, à Paris, à Rome ou à Genève (39, 56, 62, 71, 78, 79, 118, 145). — La même idée s'exprime par les mots **contrefaire, déguiser, hypocrite, masque(r), mentir** et **menteur.** Voir aussi ***flatter.***

**Flatter (flatteur)** : au sens ancien de « tromper par des illusions agréables » (*Dédic. à M. d'Av.*, vers 32; sonnets 16, 25). — Le plus souvent au sens actuel (5, 46, 51, 67, 71, 85).

**Fortune** : hasard, chance ou malchance; la fortune est imprévisiblement bonne ou mauvaise (*Dédic. à M. d'Av.*, vers 36; sonnets 6, 43, 49, 51, 56, 82, 123). Sens voisin de l'acception moderne (27). — Voir aussi ce mot au Répertoire, page 33.

**Heur (heureux, heureusement, bonheur, bienheureux)** : **heur** est alors le terme normal pour « bonheur », ce dernier mot apparaissant comme une mise en relief de l'idée. Thème important, qui traduit la nostalgie de Du Bellay pour ce qui lui manque, ce qu'il ***regrette*** (*A s. liv.;* sonnets 10, 16, 17, 20, 24, 29, 31, 37, 38, 45, 54, 61, 72, 78, 79, 94, 101, 118, 126, 143, 191). — Voir aussi ***malheur.***

**Honnête (honnêteté)** : désigne ce qui est conforme à l'***honneur,*** donc noble, de bonne compagnie (6, 27, 86, 99, 105). Employé aussi ironiquement (61, 119) ou négativement (90).

**Honneur (honorable)** : estime accordée à la ***vertu,*** conformément à la morale aristocratique professée par du Bellay (5, 7, 16, 20, 27, 50, 79, 101, 130, 152, 170, 179, 181, 191). A le sens de « louange » (67), ou évoque l'accueil conforme à un cérémonial (84). — Parfois, le plus souvent au pluriel, le mot a une résonance nettement péjorative (11, 39, 101, 118, 149) et se rapporte à l'***ambition.*** — **Honorable** correspond au sens chevaleresque du mot (78). — On trouve aussi **déshonneur** (142).

**Lamenter (lamentable)** : voir ***Plaindre.***

**Loyer** : voir ***Récompense.***

**Malheur (malheureux)** : évoque, d'une manière générale, l'idée de malchance, l'adversité (29, 69, 78, 114, 118, 134). — En rapport avec le « guignon » du poète, c'est non seulement l'adversité, mais encore la souffrance qu'elle engendre en lui (*Dédic. à M. d'Av.*, vers 66; sonnets 5, 16, 19, 24, 25, 32, 42, 43, 56, 79).

**Malice (malin)** : voir ***Envie.***

**Mignon** : voir ***Faveur.***

**Pauvre (pauvret, pauvreté)** : la pauvreté matérielle, souvent celle du poète (11, 17, 24, 28, 29, 31, 38, 42, 54, 83, 86). — Sens moral (90, 97, 105, 114, 123), qui est aussi celui du mot *pauvret* (109), s'ajoutant parfois (80) au sens matériel du mot.

**Plaindre (plainte)** : sens courant (15, 43, 123, 136). — Évoque parfois précisément le ***regret*** de Du Bellay (*Dédic. à M. d'Av.*, vers 78; sonnets 1, 5, 77, 87). — Dans le même sens, on trouve encore **complainte** (107), **querelle** (9), **lamenter** et **lamentable** (*Dédic. à M. d'Av.*, vers 77; sonnets 12, 16, 17, 80). — A ce thème se rattachent les mots **pleurer et pleur.**

**Poésie (poète)** : vocation poétique (*Dédic. à M. d'Av.*, vers 57), inspiration (4), exercice poétique (188), métier de *poète* (149). Les allusions à la poésie apparaissent aussi avec le mot **art** (5, 7, 9, 11, 21), qui désigne parfois l'habileté, la compétence en des domaines techniques (97, 142, 145), les mots **chant, chanter, chanson** (4, 5, 11, 12, 14, 16, 67, 108, 112, 114, 126, 188), **Muse(s)** [voir Répertoire, page 34], **vers** (*Dédic. à M. d'Av.*, vers 2 et 79; sonnets 1, 2, 4, 7, 11, 13, 14, 15, 16, 62, 67, 69, 77, 84, 108, 143, 152, 156, 188). — Ce thème de la *poésie* est encore évoqué par les mots **ardeur, feu** et **flamme, folie** et **fureur, immortalité.**

**Querelle** : voir ***Plaindre (plainte).***

**Récompense** : rétribution, salaire, ce qui est donné en retour et qui n'est pas forcément agréable (19, 45, 46, 75). — Au sens actuel de « récompense », on trouve **loyer** (33).

**Regret (regretter)** : employé une fois ironiquement (104), une fois de manière impersonnelle (140), ce mot, qui exprime le thème fondamental du recueil, évoque le plus souvent l'état d'âme de Du Bellay (1, 6, 12, 19, 24, 42). Il désigne parfois le livre lui-même (4, 77).

**Repentir** : regret auquel s'ajoute un sentiment de responsabilité, de culpabilité (24, 28).

**Rivage, rive** : mots parfois employés au sens poétique de « pays », « contrée », et alors associés au thème de l'***exil*** (*Dédic. à M. d'Av.*, vers 25; sonnets 10, 16, 19, 27, 87, 131). — A rapprocher de ***bord.***

**Savoir** : étendue des connaissances, culture (29, 68, 79, 97, 101, 131, 138), qu'évoquent encore les mots **science(s)** [5, 78, 145], **docte** (16, 17, 72, 156) et **savant** (2, 32, 58, 145); culture associée, chez Du Bellay, à la ***vertu*** et considérée comme indispensable à la création poétique.

**Service, servitude** : le **service** peut être pénible (39) ou sans fruit (45); il correspond à une tâche ***honorable,*** selon l'acceptation chevaleresque du mot (43, 49, 111, 130), qui est parfois celle de *servitude* (27, 46). — La **servitude,** cependant, s'associe à l'idée d'avilissement et de fatigue *(A s. liv.),* exprimée plus brutalement par **serf** (6) et **servage** (10, 17).

**Soin (soigneux, soigneusement)** : souci, préoccupation liée non seulement au caractère fastidieux et harcelant des tâches dont on est chargé, mais aussi à l'angoisse de sentir le ***temps*** passer et se perdre (2, 11, 12, 15, 27, 32, 38, 54, 56, 72).

**Souci** : inquiétude liée aux scrupules, aux exigences envers soi-même et à leur renoncement, génératrice d'anxiété et de souffrance morale (*Dédic. à M. d'Av.*, vers 107; sonnets 6, 12, 13, 24, 32, 42, 44, 49, 83, 94, 102, 130, 149). — Thème lié à celui de l'***ennui.***

**Superbe** : évoque la puissance orgueilleuse, imposante et arrogante (10, 68, 71, 80, 131, 133, 159, 181).

**Temps** : si le mot n'a parfois que le sens de « moment », d'« occasion », la fréquence du thème révèle l'obsession qu'est pour du Bellay la fuite du *temps*, dans l'histoire du monde (les ruines de Rome), comme dans sa vie personnelle (l'angoisse de ***vieillir***) — fuite qu'accompagnent toujours la dégradation et la dégénérescence, l'idée de progrès n'apparaissant nulle part (*Dédic. à M. d'Av.*, vers 3; sonnets 15, 33, 36, 42, 63, 83, 107, 126, 140, 179, 181).

**Traison (trahir)** : trahison, perfidie, caractéristique d'un monde hostile et menaçant (44, 73, 90, 94, 127, 134).

**Travail (travailler)** : le sens étymologique de « supplice », « torture », est encore sensible, et le mot évoque dans *les Regrets* la douleur, le tourment (*Dédic. à M. d'Av.*, vers 7; sonnets 2, 12, 17, 24, 29, 37, 45, 71, 101, 126), sauf une fois où il correspond au sens moderne (58) : c'est le mot *labeur* qui, au XVIe siècle, signifie ce que nous désignons aujourd'hui par « travail ».

**Vers** : voir ***Poésie.***

**Vertu (vertueux)** : force morale associée aux mérites; ce qui fait la valeur de l'être (5, 20, 27, 39, 45, 49, 50, 51, 56, 78, 79, 86, 101, 126, 145, 179).

**Vice (vicieux)** : triomphe souvent de la ***vertu*** dans l'image que du Bellay donne de son siècle (39, 49, 62, 68, 71, 73, 77, 78, 80, 82, 101, 108, 109, 130, 135, 142, 179).

**Vieillesse (vieillard, vieillir)** : que du Bellay évoque la *vieillesse* en général (*A s. liv.*, 29, 53, 73) ou qu'il se décrive lui-même par ces mots (13, 24, 32, 44), jamais ce thème n'est associé à une appréciation élogieuse (sagesse ou expérience par exemple), mais à la décrépitude, voire au ***vice.***

**Vulgaire** : synonyme de « populaire », ce mot n'est pas forcément péjoratif au XVIe siècle (voir l'éloge de la langue « vulgaire » dans la *Défense et illustration de la langue française*). Dans *les Regrets*, sauf une fois où il désigne la plèbe (138), le mot s'applique, concurremment avec *populaire*, à la masse profane, y compris celle des ***courtisans,*** séparée de l'élite morale et intellectuelle (11, 50, 73) : il n'est donc jamais élogieux.

Phot. Larousse.

ROME AU XVI^e SIÈCLE
Gravure d'Étienne Dupérac (1525-1601).

Phot. Larousse.

JOACHIM DU BELLAY

Portrait au crayon. École de Jean Cousin.

# LES REGRETS

Les **DÉDICACES.**

La première, en latin, s'adresse *Au lecteur*, qu'elle convie à un repas où le miel et le sel se mêlent.

La seconde, la plus longue, est offerte *A Monsieur d'Avanson.* Le poète y présente son ouvrage en vingt-sept quatrains de décasyllabes à rimes embrassées *(f-m-m-f-)*.

### À MONSIEUR D'AVANSON[1]
CONSEILLER DU ROI EN SON PRIVÉ CONSEIL.

Si je n'ai plus la faveur* de la Muse[2],
Et si mes vers* se trouvent imparfaits,
Le lieu, le temps*, l'âge* où je les ai faits,
Et mes ennuis* leur serviront d'excuse.

J'étais à Rome au milieu de la guerre,
Sortant déjà de l'âge* plus[3] dispos,
A mes travaux* cherchant quelque repos,
Non pour louange ou pour faveur* acquerre[4].

[Suit une série de comparaisons avec des humbles : laboureur, terrassier ou galérien, et des héros : Achille et Orphée, qui, pour charmer leur peine, ont chanté aussi.]

La Muse ainsi me fait sur ce rivage*,
Où je languis banni de ma maison,
Passer l'ennui* de la triste saison,
Seule compagne à mon si long voyage.

---

1. Voir Index, page 36; 2. Tout le début de cette Dédicace, jusqu 'au vers 68, est directement inspiré des *Tristes* d'Ovide; 3. *Plus:* superlatif (le plus); 4. *Acquerre:* acquérir.

La Muse seule au milieu des alarmes
Est assurée et ne pâlit de peur;
La Muse seule au milieu du labeur
Flatte* la peine et dessèche les larmes.

D'elle je tiens le repos et la vie,
D'elle j'apprends à n'être ambitieux*,
D'elle je tiens les saints présents des dieux
Et le mépris de fortune* et d'envie*.

Aussi sait-elle, ayant dès mon enfance
Toujours guidé le cours de mon plaisir,
Que le devoir, non l'avare* désir,
Si longuement me tient loin de la France.

[Par une série d'images pétrarquistes, le poète évoque la pauvreté à laquelle le voue sa passion pour les Muses, passion dont il n'essaie d'ailleurs pas de s'affranchir.]

Pour ce me plaît la douce poésie*
Et le doux trait par qui je fus blessé;
Dès le berceau la Muse m'a laissé
Cet aiguillon dedans la fantaisie.

Je suis content qu'on appelle folie
De nos esprits la sainte déïté,
Mais ce n'est pas sans quelque utilité
Que telle erreur si doucement nous lie.

Elle éblouit les yeux de la pensée
Pour quelquefois ne voir notre malheur*,
Et d'un doux charme enchante la douleur
Dont nuit et jour notre âme est offensée.

**QUESTIONS**

● VERS 1-68. A propos de ces quatrains inspirés d'Ovide, du Bellay se conforme-t-il à ce qu'il préconisait dans la *Défense et illustration* sur l'imitation : livre Ier, chapitres VII et VIII? D'un point de vue moderne, s'agit-il de plagiat ou de recréation? — Analysez les allusions directes à la précocité de la vocation poétique de du Bellay. Quel est l'intérêt de ces confidences (vers 37-38 et 59-60)? — Relevez dans les vers 57 à 68 les images pétrarquistes : expliquez-en la signification. L'utilisation systématique de l'antithèse correspond-elle à un simple procédé littéraire?

[Dans les deux strophes suivantes, du Bellay se compare à la Bacchante; puis il présente une objection qu'on peut lui faire : ses plaintes sont inutiles.]

De quelque mal un chacun se lamente*,
Mais les moyens de plaindre* sont divers :
J'ai, quant à moi, choisi celui des vers*
Pour désaigrir l'ennui* qui me tourmente.

Et c'est pourquoi d'une douce satire
Entremêlant les épines aux fleurs,
Pour ne fâcher* le monde de mes pleurs,
J'apprête[1] ici le plus souvent à rire.

[C'est alors, dans les six derniers quatrains, la dédicace à proprement parler : le poète offre son livre à d'Avanson, dont le jugement seul lui importe.]

Qu'autant vous soit agréable mon livre
Que de bon cœur je le vous offre ici :
Du médisant j'aurai peu de souci*
Et serai sûr à tout jamais de vivre.

---

1. *J'apprête* : je m'apprête.

## QUESTIONS

● Vers 76-84. Quelle précision importante du Bellay apporte-t-il sur son ouvrage (vers 81-84)? Pourquoi éprouve-t-il le besoin de donner cette précision dans la Dédicace des *Regrets?* (voir le sonnet 77).

● Vers 105-108. Que le poète parle ainsi par flatterie ou sincèrement, montrez en quoi ses propos s'accordent avec l'esprit de la Pléiade exprimé dans la *Défense et illustration :* « Seulement veux-je admonester celui qui aspire à une gloire non vulgaire, s'éloigner de ces ineptes admirateurs, fuir ce peuple ignorant, peuple ennemi de tout rare et antique savoir, se contenter de peu de lecteurs, à l'exemple [...] d'Horace, qui veut ses œuvres être lus de trois ou quatre seulement. » — A quel grand thème de la poésie de la Pléiade se rattache l'affirmation du vers 108?

■ Sur l'ensemble de la Dédicace. — Qu'apprend-on sur la situation matérielle et morale de Du Bellay à Rome?
— Quel rôle majeur la poésie semble-t-elle jouer dans la vie du poète?
— Étudiez la versification : vers, rime, rythme.

La dernière Dédicace s'adresse **à son livre,** selon une tradition fréquente chez les Latins et courante au XVI$^e$ siècle.

## À son livre.

Mon livre (et je ne suis sur ton aise[1] envieux*)
Tu t'en iras sans moi voir la cour de mon Prince[2].
Hé chétif* que je suis, combien en gré je prinsse[3]
Qu'un heur* pareil au tien fût permis à mes yeux!

Là si quelqu'un vers[4] toi se montre gracieux,
Souhaite-lui qu'il vive heureux* en sa province;
Mais si quelque malin* obliquement te pince[5],
Souhaite-lui tes pleurs et mon mal ennuyeux*.

Souhaite-lui encor qu'il fasse un long voyage,
Et, bien qu'il ait de vue éloigné son ménage[6],
Que son cœur, où qu'il voise[7], y soit toujours présent;

Souhaite qu'il vieillisse* en longue servitude*,
Qu'il n'approuve à la fin que toute ingratitude,
Et qu'on mange son bien pendant qu'il est absent[8].

---

**1.** *Sur ton aise :* de ton bonheur; **2.** Rapprocher d'Ovide, au début des *Tristes :* « Petit livre, je le veux bien, sans moi tu t'en iras dans la Ville, où moi, ton maître, hélas! je ne peux aller » (trad. E. Ripert); **3.** *Prinsse :* prisse (subj. imparf. de *prendre*); **4.** *Vers :* envers; **5.** *Obliquement te pince :* te dénigre; **6.** *Son ménage :* sa maison; **7.** *Voise :* ancien subjonctif pour *aille;* **8.** Allusion au procès pour la terre d'Oudon contre Montmorency.

## QUESTIONS

■ Sur le sonnet « À son livre ». — Pourquoi *tes pleurs* plutôt que *mes pleurs* (vers 8)? Rapportez cette remarque à ce que proclame la *Défense et illustration* sur la nécessité du travail poétique (livre II, chapitre IV).

— Relevez les termes exprimant les obsessions de Du Bellay.

— D'après ce que vous savez de la vie du poète à Rome, ces plaintes correspondent-elles à la réalité?

L'**INSPIRATION ÉLÉGIAQUE** des *Regrets* domine la première partie du recueil, celle qui répond vraiment au titre de l'ouvrage. Du Bellay annonce d'abord **une nouvelle conception de la poésie.**

1

Je ne veux point fouiller au sein de la nature,
Je ne veux point chercher l'esprit de l'univers,
Je ne veux point sonder les abîmes couverts,
Ni dessiner du ciel la belle architecture[1].

Je ne peins mes tableaux de si riche peinture,
Et si hauts arguments[2] ne recherche à mes vers* :
Mais suivant de ce lieu les accidents divers,
Soit de bien, soit de mal, j'écris à l'aventure.

Je me plains* à mes vers*, si j'ai quelque regret*;
Je me ris avec eux, je leur dis mon secret,
Comme étant de mon cœur les plus sûrs secrétaires[3].

Aussi ne veux-je tant les peigner et friser,
Et de plus braves noms ne les veux déguiser
Que de papiers journaux ou bien de commentaires.

---

**1.** Allusion aux sujets traités par Ronsard dans plusieurs de ses *Hymnes*, notamment les *Hymnes de la Philosophie, des Démons, du Ciel*, publiés en 1555; **2.** *Argument :* sujet; **3.** *Secrétaire :* confident de mes secrets.

## QUESTIONS

SUR LE SONNET 1.

● VERS 1-6. Que révèle cette suite de négations, de refus, comparée aux anciennes ambitions de Du Bellay, et aux travaux de ses compagnons restés en France? A votre avis, y a-t-il de la part du poète l'affirmation d'une originalité consciente ou un aveu de renoncement?

● VERS 7-14. Quels sont les mots clefs des vers 7-11? Sur quel aspect de l'inspiration les vers 7-8 insistent-ils? — Dans quelle mesure les vers 9-10 annoncent-ils les deux aspects essentiels du recueil? L'importance du ton affirmatif adopté dans ces deux vers 9-10. — Le trait final : pourquoi les deux expressions (*papiers journaux* et *commentaires*) mises ici en relief traduisent-elles l'intention d'user d'un mode de poésie totalement opposé aux définitions traditionnelles?

■ SUR L'ENSEMBLE DU SONNET 1. — La composition du poème : l'opposition symétrique est-elle seulement un procédé de rhétorique? — L'importance de ce sonnet placé en tête du recueil.

2

Un plus savant* que moi, Paschal[1], ira songer
Avecques l'Ascréan[2] dessus la double cime[3],
Et pour être de ceux dont on fait plus d'estime,
Dedans l'onde au cheval[4] tout nu s'ira plonger[5].

Quant à moi, je ne veux pour un vers* allonger
M'accourcir le cerveau, ni pour polir ma rime
Me consumer l'exprit d'une soigneuse* lime,
Frapper dessus ma table ou mes ongles ronger[6].

Aussi veux-je, Paschal, que ce que je compose
Soit une prose en rime ou une rime en prose,
Et ne veux pour cela le laurier mériter.

Et peut-être que tel se pense bien habile,
Qui trouvant de mes vers* la rime si facile,
En vain travaillera*, me voulant imiter.

4

Je ne veux feuilleter les exemplaires grecs[7],
Je ne veux retracer les beaux traits d'un Horace[8],
Et moins veux-je imiter d'un Pétrarque[9] la grâce,
Ou la voix d'un Ronsard, pour chanter* mes Regrets*.

---

**1.** *Paschal :* voir Index, page 39; **2.** L'*Ascréan :* Hésiode (voir Index, page 38); **3.** L'Hélicon (voir Répertoire, page 33); **4.** L'Hippocrène (voir Répertoire, page 33); **5.** Souvenir de Perse; **6.** Réminiscence d'Horace; **7.** Le XVIe siècle ne prononce guère les consonnes finales : *Grecs* rime avec *regrets;* **8.** *Horace :* voir Index, page 38; **9.** *Pétrarque :* voir Index, page 40.

## QUESTIONS

SUR LE SONNET 2.

● VERS 1-8. Commentez, d'après les vers 5-8, le contraste avec ce que du Bellay écrivait dans la *Défense et illustration :* « Qui veut voler par les mains et bouches des hommes doit longuement demeurer en sa chambre; et qui désire vivre en la mémoire de la postérité doit comme mort en soi-même suer et trembler maintes fois » (livre II, chapitre IV).

● VERS 9-14. N'y a-t-il pas contradiction entre ce qu'il proclame ici et les réminiscences de l'Antiquité qui apparaissent dans les quatrains? — Que signifie le vers 10 (voir la rime du vers 13)? — Que symbolise le laurier (vers 11)? Pourquoi du Bellay y renonce-t-il?

■ SUR L'ENSEMBLE DU SONNET 2. — Relevez les termes et les allusions qui expriment le découragement du poète, et ceux qui, au contraire, le montrent conscient de son originalité.

— Malgré le thème commun aux sonnets 1 et 2, soulignez que chacun des poèmes concerne un aspect différent des projets poétiques de Du Bellay.

Ceux qui sont de Phœbus[1] vrais poètes* sacrés
Animeront leurs vers* d'une plus grande audace;
Moi, qui suis agité d'une fureur[2] plus basse,
Je n'entre si avant en si profonds secrets.

Je me contenterai de simplement écrire
Ce que la passion seulement me fait dire,
Sans rechercher ailleurs plus graves arguments[3].

Aussi n'ai-je entrepris d'imiter en ce livre
Ceux qui par leurs écrits se vantent de revivre
Et se tirer tout vifs[4] dehors des monuments[5].

5

Ceux qui sont amoureux, leurs amours chanteront*,
Ceux qui aiment l'honneur*, chanteront* de la gloire,
Ceux qui sont près du Roi, publieront sa victoire,
Ceux qui sont courtisans*, leurs faveurs* vanteront,

Ceux qui aiment les arts*, les sciences[6]* diront,
Ceux qui sont vertueux*, pour tels se feront croire,
Ceux qui aiment le vin, deviseront de boire,
Ceux qui sont de loisir[7], de fables écriront,

1. *Phœbus :* voir Répertoire, page 35; 2. *Fureur :* enthousiasme de l'inspiration; 3. *Argument :* voir le vers 6 du sonnet 1 et la note; 4. *Vif :* vivant; 5. Des témoignages destinés à perpétuer leur souvenir (voir sonnet 20, vers 1-4). Allusion à la théorie de l'immortalité poétique chère à la Pléiade : « Que le naturel n'est suffisant à celui qui, en poésie, veut faire œuvre digne de l'immortalité » (*Défense et illustration*, livre II, chapitre III); 6. *Sciences :* deux syllabes, plus la muette; 7. *De loisir :* oisif.

## QUESTIONS

■ SUR LE SONNET 4. — Quels sont les grands modèles auxquels se réfère du Bellay (vers 1-4), même s'il en récuse l'exemple aujourd'hui? Peut-on parler d'une « querelle des Anciens et des Modernes » au XVIe siècle?
— Commentez l'importance des deux adverbes des vers 9-10 pour l'idée et pour le ton. L'effet musical de cette reprise nuancée.

◆ SUR LES SONNETS 1, 2, 4. — Montrez que, dans chacun des trois sonnets, les deux vers qui résument l'idée centrale se trouvent situés au même endroit. Quel est l'intérêt de cette position?
— Montrez que, d'un sonnet à l'autre, on peut déceler une progression dans l'assurance du poète à l'égard de son entreprise, et que la structure semblable des trois poèmes confirme cette progression.

Ceux qui sont médisants, se plairont à médire,
Ceux qui sont moins fâcheux*, diront des mots pour rire,
Ceux qui sont plus vaillants, vanteront leur valeur,

Ceux qui se plaisent trop[1], chanteront* leur louange,
Ceux qui veulent flatter*, feront d'un diable un ange;
Moi, qui suis malheureux*, je plaindrai* mon malheur*.

---

Après avoir annoncé une nouvelle conception de la poésie, le poète va dire **sa détresse.**

6

Las, où est maintenant ce mépris de Fortune*?
Où est ce cœur vainqueur de toute adversité,
Cet honnête* désir de l'immortalité[2],
Et cette honnête* flamme au peuple non commune?

Où sont ces doux plaisirs, qu'au soir sous la nuit brune
Les Muses me donnaient, alors qu'en liberté

1. *Trop :* beaucoup; 2. Voir sonnet 4, vers 14 et la note 5.

**QUESTIONS**

■ Sur le sonnet 5. — On dit que les sonnets construits sur une énumération n'observent pas une composition rigoureuse, et c'est apparemment vrai. Pourtant, un spécialiste du XVIe siècle, V. L. Saulnier, affirme qu'« entre elles les quatre strophes se répondent [...] toujours suivant un dessein concerté ». Qu'en pensez-vous? Cherchez si, dans chaque quatrain et chaque tercet, on ne pourrait pas regrouper les remarques autour d'un centre d'intérêt, ou d'un comportement similaire.

— Dans sa construction et dans sa résonance, le dernier vers apparaît comme un écho subtilement dissymétrique du premier vers : dégagez cette ressemblance et cette différence. Pensez au premier recueil de sonnets publié par du Bellay; ne pourrait-on pas apercevoir dans le premier vers comme un souvenir discret de ce passé? Dans ce cas, qu'ajouterait encore la chute brutale et nostalgique du dernier vers?

Sur le sonnet 6.

● Vers 1-8. Importance du premier mot du poème (rythme, ton, sens). — Dans le premier quatrain, vous relèverez les termes abstraits; quelle tonalité l'emploi des sonorités nasales apporte-t-il? — Comparez les vers 5-8 avec le texte d'Horace (voir note 1 de la page 55). Commentez l'image : *un rivage écarté* (vers 7); ne peut-on voir là, autant qu'une réminiscence littéraire, un souvenir personnel? — Commentez l'emploi du seul mot abstrait du second quatrain.

Dessus le vert tapis d'un rivage écarté
Je les menais danser aux rayons de la lune[1]?

Maintenant la Fortune* est maîtresse de moi,
Et mon cœur, qui soulait[2] être maître de soi,
Est serf* de mille maux et regrets* qui m'ennuient*.

De la postérité je n'ai plus de souci*,
Cette divine ardeur je ne l'ai plus aussi*,
Et les Muses de moi, comme étranges*, s'enfuient.

## 7

Cependant que la Cour mes ouvrages lisait,
Et que la sœur du Roi, l'unique Marguerite[3],
Me faisant plus d'honneur* que n'était mon mérite,
De son bel œil divin mes vers* favorisait*,

Une fureur d'esprit[4] au ciel me conduisait
D'une aile qui la mort et les siècles évite[5],
Et le docte troupeau qui sur Parnasse habite[6]
De son feu plus divin[7] mon ardeur attisait.

Ores[8] je suis muet comme on voit la Prophète[9]
Ne sentant plus le Dieu qui la tenait sujette
Perdre soudainement la fureur et la voix.

---

**1.** Image inspirée d'Horace : « Déjà Vénus la Cythérée conduit les chœurs au lever de la lune » (*Odes* I, IV, 5); **2.** *Souloir :* avoir accoutumé de; **3.** *Marguerite de Valois :* voir Index, page 38; **4.** L'inspiration poétique (voir sonnet 4, vers 7); **5.** Théorie de l'immortalité poétique à rapprocher du sonnet 4, vers 14, note 5; **6.** Les Muses (voir Répertoire, page 34); **7.** *Plus divin :* le plus divin; **8.** *Ores :* aujourd'hui; **9.** La Pythie (voir Répertoire, page 35).

## QUESTIONS

● VERS 9-14. Quelle est l'allitération dominante dans les vers 9-11? Quel effet provoque-t-elle? — Analysez les tons et les rythmes par lesquels les vers 9-13 résonnent chacun en écho à un autre passage du sonnet. Au vers 14, du Bellay a recours à une image traditionnelle pour évoquer une situation personnelle : pourquoi ce choix est-il particulièrement heureux? Que signifie ce vers?

■ SUR L'ENSEMBLE DU SONNET 6. — Analysez l'impression de beauté qui se dégage de ce sonnet : choix des images, émotion douloureuse qui s'harmonise avec une construction à la fois rigoureuse et souple.

Et qui ne prend plaisir qu'un prince lui commande?
L'honneur* nourrit les arts[1]*, et la Muse demande
Le théâtre du peuple et la faveur* des rois.

8

Ne t'ébahis, Ronsard, la moitié de mon âme[2],
Si de ton du Bellay France ne lit plus rien,
Et si avecques l'air du ciel italien[3]
Il n'a humé l'ardeur qui l'Italie enflamme[4].

Le saint rayon qui part des beaux yeux de ta dame
Et la sainte faveur* de ton Prince et du mien,
Cela, Ronsard, cela, cela mérite bien
De t'échauffer le cœur d'une si vive flamme.

Mais moi, qui suis absent des rais de mon Soleil[5],
Comment puis-je sentir échauffement pareil
A celui qui est près de sa flamme divine?

Les coteaux soleillés de pampre sont couverts,
Mais des hyperborés[6] les éternels hivers
Ne portent que le froid, la neige et la bruine[7].

---

**1.** Expression de Cicéron (*Tusculanes*, I, II, 4), citée dans les *Adages* d'Erasme, et déjà mentionnée dans la *Défense et illustration*, livre II, chap. V ; **2.** Expression d'Horace (*Odes*, I, III, 8), fréquente au XVIe siècle pour évoquer l'amitié; on la trouve chez Montaigne parlant de La Boétie : « Nous étions à moitié de tout; il me semble que je lui dérobe sa part » (*Essais*, livre Ier, chapitre XXVIII). Du Bellay lui-même, s'adressant à Ronsard dans un sonnet de *l'Olive*, écrivait : « Ô de mon cœur la seconde moitié »; **3.** *Italien :* quatre syllabes; **4.** Allusion au rayonnement artistique et intellectuel de l'Italie; **5.** Celle qui m'inspire, Marguerite, sœur du roi (voir Index). L'assimilation de la dame au soleil est constante dans la poésie pétrarquiste; **6.** *Hyperborés :* les contrées les plus éloignées du soleil, les plus septentrionales; **7.** *Bruine :* deux syllabes plus la muette.

## QUESTIONS

■ SUR LE SONNET 7. — Soulignez le parallélisme dans la construction des sonnets 6 et 7.

— La différence de point de vue quant au rôle de la poésie dans ces deux sonnets : comparez le second quatrain du sonnet 6 au dernier tercet du sonnet 7. Que pensez-vous de l'idée exprimée par ce poème et résumée dans les vers 13-14?

■ SUR LE SONNET 8. — Rapprochez ce sonnet du précédent.

— L'image symbolique qui guide le développement de toute la pièce : quelle est-elle? Montrez comment elle se développe et s'affirme progressivement. Par quels moyens stylistiques? L'effet produit.

— Définissez, d'après ce sonnet, les deux sources de la poésie lyrique à l'époque.

## 9

France, mère des arts*, des armes et des lois,
Tu m'as nourri longtemps du lait de ta mamelle;
Ores[1], comme un agneau qui sa nourrice appelle,
Je remplis de ton nom les antres et les bois[2].

Si tu m'as pour enfant avoué[3] quelquefois[4],
Que ne me réponds-tu maintenant, ô cruelle?
France, France, réponds à ma triste querelle*.
Mais nul, sinon Écho[5], ne répond à ma voix.

Entre les loups cruels, j'erre parmi la plaine,
Je sens venir l'hiver, de qui la froide haleine
D'une tremblante horreur[6] fait hérisser ma peau.

Las, tes autres agneaux n'ont faute[7] de pâture,
Ils ne craignent les loups, le vent ni la froidure;
Si[8] ne suis-je pourtant le pire du troupeau.

---

1. *Ores :* aujourd'hui; 2. Réminiscence de l'éloge de l'Italie (Virgile, *Géorgiques*), déjà repris par Dante, Pétrarque et des Italiens du XVIe siècle comme Pamphilo Sasso; 3. *Avoué :* reconnu; 4. *Quelquefois :* autrefois; 5. *Echo :* voir Répertoire, page 33; 6. *Horreur :* ce qui fait frissonner, qui donne la chair de poule (sens étymologique); 7. *Avoir faute de :* manquer de; 8. *Si* et *pourtant* se renforcent pour accentuer l'idée d'opposition.

### QUESTIONS

SUR LE SONNET 9.

● VERS 1-8. — Commentez le triple aspect choisi par du Bellay pour représenter la France (vers 1). — La continuité et la signification de la métaphore des vers 2 et 5 : de quelle image celle-ci s'enrichit-elle au vers 3? En tant que symbole, qu'évoque couramment l'agneau? Pourquoi du Bellay se désigne-t-il ainsi? Quel sentiment les éléments descriptifs du vers 4 suggèrent-ils? Pourquoi l'apparente restriction *sinon Echo* (vers 8) accroît-elle en fait l'impression d'isolement qu'entend exprimer du Bellay? — Dégagez l'opposition entre les deux quatrains.

● VERS 9-14. Quels enrichissements de l'image apparaissent aux vers 9-10? — Relevez, dans les vers 10-11, les mots exprimant l'image du *froid* (voir sonnet 8, vers 13-14) : montrez la richesse de signification de cette métaphore. — Quel est le ton du vers 14? Quelle idée exprime-t-il?

■ SUR L'ENSEMBLE DU SONNET 9. — Montrez la progression dans l'image et dans le sentiment. Commentez le dernier vers de chaque quatrain et de chaque tercet, en montrant qu'il dégage le thème évoqué.

— Relevez les vers les plus significatifs par le rythme; commentez la richesse expressive des rimes. D'où naît le pathétique de ce sonnet?

Malgré sa détresse, le poète ne cesse d'écrire : c'est le thème de la **poésie consolatrice.** Et il écrit notamment (si surprenant que cela puisse paraître de la part de l'auteur de la *Défense et illustration de la langue française*) en latin.

Le sonnet 10 est une réponse à un sonnet de Ronsard adressé à du Bellay dans la *Continuation des Amours* de 1555 :

> Cependant que tu vois le superbe rivage
> De la rivière Tusque et le mont Palatin,
> Et que l'air des Latins te fait parler latin,
> Changeant à l'étranger ton naturel langage [...].

## 10

Ce n'est le fleuve Tusque[1] au superbe* rivage,
Ce n'est l'air des Latins, ni le mont Palatin,
Qui ores[2], mon Ronsard, me fait parler latin,
Changeant à[3] l'étranger* mon naturel langage.

C'est l'ennui* de me voir trois ans et davantage[4],
Ainsi qu'un Prométhée, cloué sur l'Aventin,
Où l'espoir* misérable et mon cruel destin,
Non le joug amoureux, me détient en servage*.

Eh quoi, Ronsard, eh quoi, si au bord* étranger*
Ovide[5] osa sa langue en barbare changer
Afin d'être entendu, qui me pourra reprendre

D'un change plus heureux[6]? Nul, puisque le françois[7],
Quoiqu'au Grec et Romain égalé tu te sois,
Au rivage* latin ne se peut faire entendre.

---

**1.** Le Tibre; **2.** *Ores :* voir sonnet 9, vers 3 et la note; **3.** *À :* pour; **4.** Précision intéressante sur la date à laquelle fut composé le sonnet : seconde moitié de l'année 1556; **5.** Ovide exilé composa des poèmes en langue gétique : « J'ai écrit un livre en langue gétique, j'ai assujetti à nos rythmes des mots barbares! Et j'ai eu du succès » (*les Pontiques*, trad. E. Ripert); **6.** Changement plus heureux, puisque, si Ovide était condamné à écrire en une langue « barbare », c'est dans la prestigieuse langue latine que du Bellay composait ses poèmes; **7.** Orthographe maintenue à cause de la rime; on prononçait alors la diphtongue *oi : wè.*

## QUESTIONS

■ SUR LE SONNET 10. — Que nous apprend le dernier tercet sur l'audience du français en Italie vers 1550-1560?

— Malgré l'apparence, y a-t-il vraiment contradiction entre les idées défendues par du Bellay dans la *Défense et illustration* (livre Ier, chapitre IX) et sa justification dans ce poème? Donnez les raisons de votre réponse.

11

Bien qu'aux arts* d'Apollon[1] le vulgaire* n'aspire,
Bien que de tels trésors l'avarice* n'ait soin*,
Bien que de tels harnais le soldat n'ait besoin,
Bien que l'ambition* tels honneurs* ne désire;

Bien que ce soit aux grands un argument[2] de rire,
Bien que les plus rusés s'en tiennent le plus loin,
Et bien que du Bellay soit suffisant témoin
Combien est peu prisé le métier de la lyre[3];

Bien qu'un art* sans profit ne plaise au courtisan*,
Bien qu'on ne paie en vers* l'œuvre d'un artisan,
Bien que la Muse soit de pauvreté* suivie,

Si[4] ne veux-je pourtant délaisser[5] de chanter*,
Puisque le seul chant* peut mes ennuis* enchanter,
Et qu'aux Muses je dois bien six ans de ma vie.

12

Vu le soin* ménager[6] dont travaillé* je suis,
Vu l'importun souci* qui sans fin me tourmente,
Et vu tant de regrets* desquels je me lamente,
Tu t'ébahis souvent comment chanter* je puis.

Je ne chante*, Magny[7], je pleure mes ennuis*,
Ou, pour le dire mieux, en pleurant je les chante*,

---

1. Les arts libéraux, désintéressés (voir Répertoire, page 32); 2. *Argument :* voir sonnet 1, vers 6 et la note; 3. Le métier de poète; 4. Voir sonnet 9, vers 14 et la note; 5. *Délaisser :* cesser (le préfixe *dé* est intensif); 6. *Ménager :* domestique; 7. *Magny :* voir Index, page 38.

## QUESTIONS

■ Sur le sonnet 11. — Relevez les allusions personnelles : leur intérêt. Précisez les vers où s'exprime l'amertume de Du Bellay; ne peut-on y déceler l'amorce de thèmes satiriques?

— Quels sont les mots clefs des vers 4, 8 et 11? Montrez qu'ils ponctuent la progression du poème jusqu'à l'antithèse du dernier tercet.

— Précisez quelle valeur essentielle du Bellay attribue à la poésie dans ce sonnet.

Si bien qu'en les chantant*, souvent je les enchante;
Voilà pourquoi, Magny, je chante* jours et nuits.

Ainsi chante* l'ouvrier[1] en faisant son ouvrage,
Ainsi le laboureur faisant son labourage,
Ainsi le pèlerin regrettant* sa maison,

Ainsi l'aventurier[2] en songeant à sa dame,
Ainsi le marinier en tirant à la rame,
Ainsi le prisonnier maudissant sa prison[3].

13

Maintenant je pardonne à la douce fureur[4]
Qui m'a fait consumer le meilleur de mon âge[5]
Sans tirer autre fruit de mon ingrat ouvrage
Que le vain passe-temps d'une si longue erreur.

Maintenant je pardonne à ce plaisant labeur,
Puisque seul il endort le souci* qui m'outrage,
Et puisque seul il fait qu'au milieu de l'orage,
Ainsi qu'auparavant, je ne tremble de peur.

---

1. *Ouvrier :* deux syllabes; 2. *Aventurier :* guerrier en marge des troupes régulières; 3. Souvenir d'Ovide, déjà repris dans la *Dédicace à M. d'Avanson ;* 4. *Fureur :* voir sonnet 4, vers 7 et la note; 5. La nécessité du travail acharné pour qui veut être poète s'exprimait déjà dans la *Défense et illustration :* « Qui veut voler par les mains et bouches des hommes doit longuement demeurer en sa chambre; et qui désire vivre en la mémoire de la postérité doit comme mort en soi-même suer et trembler maintes fois, et [...] endurer de faim, de soif et de longues vigiles [*veilles*] » (livre II, chapitre IV).

## QUESTIONS

SUR LE SONNET 12.

● VERS 1-8. Montrez comment les sonorités nasales deviennent peu à peu dominantes : quel effet créent-elles? — La rupture de ton entre les deux quatrains (idées, rythme); commentez les répétitions de mots et de sons dans le second quatrain, et soulignez l'impression qu'elles produisent, en accord avec le sens du mot *enchante*.

● VERS 9-14. La différence de construction et d'images avec les quatrains. — Le rapport avec les idées des quatrains : reprise dans les tercets des thèmes du vers 1 et du vers 3.

■ SUR L'ENSEMBLE DU SONNET 12. — Pourquoi est-il significatif que du Bellay s'adresse ici à Magny (voir Index, page 38)? Comparez le thème de ce sonnet au dernier tercet du sonnet 11.

Si les vers* ont été l'abus de ma jeunesse,
Les vers* seront aussi l'appui de ma vieillesse*,
S'ils furent ma folie, ils seront ma raison,

S'ils furent ma blessure, ils seront mon Achille[1],
S'ils furent mon venin, le scorpion[2] utile
Qui sera de mon mal la seule guérison.

## 14

Si l'importunité d'un créditeur[3] me fâche*,
Les vers* m'ôtent l'ennui* du fâcheux* créditeur;
Et si je suis fâché* d'un fâcheux* serviteur,
Dessus les vers*, Boucher[4], soudain je me défâche*.

Si quelqu'un dessus moi sa colère délâche,
Sur les vers* je vomis le venin de mon cœur;
Et si mon faible esprit est recru du labeur,
Les vers* font que plus frais je retourne à ma tâche[5].

Les vers* chassent de moi la molle oisiveté,
Les vers* me font aimer la douce liberté,
Les vers* chantent* pour moi ce que dire je n'ose[6].

---

1. *Achille :* voir Répertoire, page 32; 2. *Scorpion :* trois syllabes. La pharmacopée médiévale utilisait le venin de scorpion comme remède; 3. *Créditeur :* créancier; 4. *Boucher :* voir Index, page 36; 5. On comprendra mieux l'amertume de Du Bellay à propos de la vie qu'il mène à Rome en comparant ces huit vers au portrait idéal du poète qu'il traçait dans la *Défense et illustration :* « non troublé d'affaires domestiques, mais en repos et tranquillité d'esprit » (livre II, chapitre V); 6. Allusion à sa situation subalterne dans tous ses soucis domestiques : à Rome auprès du cardinal, en France dans le procès contre Montmorency.

## QUESTIONS

SUR LE SONNET 13.

● VERS 1-8. L'expressivité des rimes masculines : montrez qu'elles soulignent les thèmes essentiels du sonnet. — Quelle progression dans l'idée est soulignée par la symétrie des vers 1 et 5? — Mettez en évidence l'antithèse du premier au second quatrain.

● VERS 9-14. Relevez les termes antithétiques : montrez comment cette suite serrée d'antithèses forme un jeu de variations sur le même thème.

■ SUR L'ENSEMBLE DU SONNET 13. — L'idée centrale ne correspond-elle pas à un éloge de la passion, de la démesure? En ce sens, ne pourrait-on pas dire qu'il y a dans cette ferveur quelque chose d'anticlassique, et peut-être de très moderne?

Si donc j'en recueillis[1] tant de profits divers,
Demandes-tu, Boucher, de quoi servent les vers*,
Et quel bien je reçois de ceux que je compose?

## 15

Panjas[2], veux-tu savoir quels sont mes passe-temps?
Je songe au lendemain, j'ai soin* de la dépense
Qui se fait chacun jour, et si[3] faut que je pense
A rendre sans argent* cent créditeurs[4] contents.

Je vais, je viens, je cours, je ne perds point le temps*,
Je courtise un banquier, je prends argent* d'avance;
Quand j'ai dépêché l'un, un autre recommence,
Et ne fais pas le quart de ce que je prétends.

Qui[5] me présente un compte, une lettre, un mémoire,
Qui me dit que demain est jour de consistoire[6],
Qui me rompt le cerveau de cent propos divers,

Qui se plaint*, qui se deut[7], qui murmure, qui crie;
Avecques tout cela, dis, Panjas, je te prie,
Ne t'ébahis-tu point comment je fais des vers?

---

**1.** J'en recueille (présent); **2.** *Panjas :* voir Index, page 39; **3.** *Si :* aussi; **4.** *Créditeur :* voir sonnet 14, vers 1 et la note; **5.** *Qui ... qui... :* l'un ... l'autre; **6.** *Consistoire :* assemblée de cardinaux présidée par le pape et convoquée pour une affaire importante; les consistoires étaient fréquents au XVIe siècle; **7.** *Se deut :* se plaint (du verbe *se douloir*).

### QUESTIONS

■ SUR LE SONNET 14. — Montrez que les jeux de sonorités dus aux reprises du mot *vers* soulignent musicalement l'idée exprimée.

— Quels profits du Bellay tire-t-il de la poésie?

— Dégagez les allusions annonçant la veine satirique.

◆ SUR LES SONNETS 11, 12, 13, 14. — Dégagez l'unité de thème, et la manière différente de traiter ce thème : à quoi, dans chaque sonnet, la poésie est-elle opposée? Montrez en particulier que la construction antithétique exprime très exactement les difficultés évoquées par le poète.

■ SUR LE SONNET 15. — Relevez les procédés d'accumulation. Quelle impression créent-ils? A quel résultat aboutit l'emploi d'une grande quantité de verbes?

— Dégagez tout ce qui contribue à la rapidité du rythme et à l'expressivité de l'évocation : comparez la manière dont le poète parle de la vie qu'il mène, ici et dans les sonnets précédents (12, 13, 14). Le ton général de ce poème est-il encore élégiaque?

La poésie peut bien consoler : elle ne supprime pas le « regret », regret qu'avive **le souvenir, teinté d'envie, de ceux qui sont restés en France.**

## 16

Cependant que Magny[1] suit son grand Avanson[2],
Panjas[3] son cardinal[4], et moi le mien encore,
Et que l'espoir* flatteur*, qui nos beaux ans dévore,
Appâte nos désirs d'un friand hameçon,

Tu[5] courtises les rois, et d'un plus heureux* son[6]
Chantant* l'heur* de Henri, qui son siècle décore,
Tu t'honores toi-même, et celui qui honore
L'honneur* que tu lui fais par ta docte* chanson[7]*.

Las, et nous cependant nous consumons notre âge*
Sur le bord* inconnu d'un étrange* rivage*,
Où le malheur* nous fait ces tristes vers* chanter;

Comme on voit quelquefois, quand la mort les appelle,
Arrangés flanc à flanc parmi l'herbe nouvelle,
Bien loin sur un étang trois cygnes lamenter*.

---

**1.** *Magny :* voir Index, page 38; **2.** *Avanson :* voir Index, page 36; **3.** *Panjas :* voir Index, page 39; **4.** *Le cardinal* Georges d'Armagnac, qui se trouvait à Rome; **5.** Ronsard; **6.** *Le son :* le chant; **7.** Comprendre (vers 7-8) : « Tu te rends illustre *[tu t'honores toi-même], et* tu honores en le célébrant *celui qui honore* (le roi, qui accorde au poète la faveur de le protéger) *l'honneur que tu lui fais par ta docte chanson* (car le poète dispense à celui qu'il chante l'immortalité). » En somme, si le roi fait honneur à Ronsard en le distinguant, celui-ci s'acquitte de sa dette par sa valeur poétique.

### QUESTIONS

SUR LE SONNET 16.

● VERS 1-8. Quel aveu expriment les vers 3-4? — Quelles sont dans les vers 5-8 les deux idées dominantes? Dans quelle mesure s'opposent-elles à l'évocation du premier quatrain?

● VERS 9-11. Le ton du premier tercet : en quoi s'apparente-t-il, en quoi s'oppose-t-il à celui du premier quatrain? Étudiez notamment le vocabulaire et les sonorités. — Effectuez la même comparaison entre le second quatrain et ce tercet.

● VERS 12-14. Montrez que cette comparaison est l'aboutissement et comme le couronnement du premier quatrain et du premier tercet. — Quelle obsession constante chez du Bellay cette image révèle-t-elle?

■ SUR L'ENSEMBLE DU SONNET 16. — La beauté de ce poème; l'importance, à ce propos, du dernier tercet.

— Le pathétique : quels détails donnent au poème un accent de sincérité?

## 17

Après avoir longtemps erré sur le rivage
Où l'on voit lamenter* tant de chétifs* de cour[1],
Tu[2] as atteint le bord* où tout le monde court,
Fuyant de pauvreté* le pénible servage*.

Nous autres cependant, le long de cette plage,
En vain tendons le bras vers le nautonnier sourd[3]
Qui nous chasse bien loin; car, pour le faire court,
Nous n'avons qu'un quatrin pour payer le naulage[4].

Ainsi donc tu jouis[5] du repos bienheureux*,
Et comme font là-bas ces doctes* amoureux,
Bien avant dans un bois te perds avec ta dame[6];

Tu bois le long oubli de tes travaux* passés,
Sans plus penser en[7] ceux que tu as délaissés,
Criant dessus le port ou tirant à la rame.

## 19

Cependant que tu[8] dis ta Cassandre divine[9],
Les louanges du Roi, et l'héritier d'Hector[10],
Et ce Montmorency[11], notre français Nestor[12],
Et que de sa faveur* Henri t'estime digne[13],

---

**1.** *Chétif* garde quelque chose de son sens étymologique (latin *captivus*, prisonnier), et évoque en même temps la misère morale; **2.** Ronsard; **3.** *Charon :* voir Répertoire, page 32; **4.** *Quatrin* (liard) et *naulage* (passage) sont des italianismes; **5.** *Jouis :* deux syllabes; **6.** Évocation de la félicité des élus aux champs Élysées; **7.** *Penser en :* penser à; **8.** Ronsard; **9.** La *Continuation des Amours* était parue en 1555; **10.** Francus (voir Répertoire, page 33), le héros de *la Franciade*, entreprise vers 1554; **11.** *Montmorency :* voir Index, page 39; **12.** Notre Nestor français (voir Répertoire, page 34); **13.** A rapprocher du sonnet 16, vers 5-8, et du sonnet 17.

### QUESTIONS

■ SUR LE SONNET 17. — Les allusions à la fortune de Ronsard : comment du Bellay se l'imagine-t-il? Commentez notamment le vers 4.

— Expliquez les éléments mythologiques. Comment l'image du bonheur élyséen est-elle ici dissociée de l'idée de la mort?

SUR LE SONNET 19.

● VERS 1-4. Quel est le thème de ce quatrain? Montrez que le caractère du vocabulaire en solennise l'expression.

Je me promène seul sur la rive* latine,
La France regrettant*, et regrettant* encor
Mes antiques amis*, mon plus riche trésor,
Et le plaisant séjour de ma terre angevine.

Je regrette* les bois, et les champs blondissants,
Les vignes, les jardins, et les prés verdissants,
Que mon fleuve traverse; ici pour récompense*

Ne voyant que l'orgueil de ces monceaux pierreux[1],
Où me tient attaché d'un espoir* malheureux*
Ce que possède moins celui qui plus[2] y pense.

## 20

Heureux* de qui la mort de sa gloire est suivie,
Et plus heureux* celui dont l'immortalité
Ne prend commencement de la postérité,
Mais devant que[3] la mort ait son âme ravie.

Tu jouis[4], mon Ronsard, même durant ta vie,
De l'immortel honneur* que tu as mérité;
Et devant que mourir, rare félicité,
Ton heureuse* vertu* triomphe de l'envie*.

---

**1.** Les ruines de Rome; **2.** *Moins ... plus :* le moins ... le plus; **3.** Mais commence avant que...; **4.** *Jouis :* deux syllabes.

**QUESTIONS**

● VERS 5-11. Différence de thème, de ton (vocabulaire et rythme) avec le premier quatrain : montrez que les mots clefs de ce passage évoquent successivement les grands thèmes élégiaques du recueil. — Le choix des éléments descriptifs du premier tercet (pensez à la différence entre le lieu où se trouve du Bellay et celui qu'il évoque).

● VERS 12-14. Commentez l'antithèse des termes au vers 12. — Pourquoi ce contraste entre l'expression personnelle du vers 13 et la maxime générale du vers 14? Quel effet en naît?

■ SUR L'ENSEMBLE DU SONNET 19. — Ce sonnet est construit sur une double antithèse : entre les deux quatrains, entre les deux tercets (thème et ton). Dégagez à partir de là la structure du sonnet.

Courage donc, Ronsard, la victoire est à toi,
Puisque de ton côté est la faveur* du Roi;
Jà[1] du laurier vainqueur tes tempes se couronnent,

Et jà la tourbe[2] épaisse alentour de ton flanc
Ressemble ces esprits, qui là-bas[3] environnent
Le grand prêtre de Thrace[4] au long sourpely[5] blanc.

21

Comte[6], qui ne fis onc[7] compte de la grandeur,
Ton du Bellay n'est plus : ce n'est plus qu'une souche
Qui dessus un ruisseau d'un dos courbé se couche,
Et n'a plus rien de vif[8] qu'un petit[9] de verdeur.

Si j'écris quelquefois, je n'écris point d'ardeur,
J'écris naïvement[10] tout ce qu'au cœur me touche,
Soit de bien, soit de mal, comme il vient à la bouche,
En un style aussi lent que lente est ma froideur.

Vous autres[11], cependant, peintres de la nature,
Dont l'art* n'est pas enclos dans une portraiture,
Contrefaites des vieux les ouvrages plus beaux[12].

---

**1.** *Jà :* déjà; **2.** *La tourbe :* la foule; **3.** Aux enfers, dont les habitants charmés se pressaient autour d'Orphée, « le prêtre de Thrace à la longue robe blanche » (*l'Enéide*, VI, 645); **4.** Orphée (voir Répertoire, page 34); **5.** *Sourpely :* surplis; **6.** *Comte :* Nicolas Denisot (voir Index, page 37); **7.** *Onc :* jamais; **8.** *Vif :* vivant; **9.** *Un petit :* un peu; **10.** *Naïvement :* naturellement, spontanément; **11.** Ceux qui sont restés en France; **12.** Vous imitez les plus beaux des ouvrages faits par les Anciens.

## QUESTIONS

■ SUR LE SONNET 20. — Analysez la progression dans l'idée, dans le ton, dans les images : commentez notamment la beauté plastique de l'évocation du dernier tercet, en précisant comment elle élargit l'ampleur de l'hommage que du Bellay rend à Ronsard.

— Comment s'explique la supériorité que du Bellay reconnaît à Ronsard? Rapprochez ce texte des sonnets 1, 2, 4, 5 et 21.

SUR LE SONNET 21.

● VERS 1-8. Du Bellay est alors âgé d'un peu plus de trente ans : pourquoi se présente-t-il comme un vieillard (vers 2-3)? Pourquoi emploie-t-il les mots *lent* et *froideur* (vers 5-8) pour caractériser son inspiration et ses thèmes? A quoi ces mots s'opposent-ils explicitement dans le sonnet?

● VERS 9-14. Expliquez l'opposition entre les *peintres de la nature* et l'art de la *portraiture* (vers 9-10), repris dans le vers 14.

Quant à moi, je n'aspire à si haute louange,
Et ne sont mes portraits auprès de vos tableaux
Non plus qu'est un Janet[1] auprès d'un Michel Ange.

24

Qu'heureux* tu es, Baïf[2], heureux*, et plus qu'heureux*,
De ne suivre abusé cette aveugle déesse[3]
Qui d'un tour inconstant et nous hausse et nous baisse,
Mais cet aveugle enfant[4] qui nous fait amoureux!

Tu n'éprouves, Baïf, d'un maître rigoureux
Le sévère sourcil, mais la douce rudesse
D'une belle, courtoise et gentille[5] maîtresse,
Qui fait languir ton cœur doucement langoureux[6].

Moi chétif* cependant, loin des yeux de mon Prince,
Je vieillis* malheureux* en étrange* province,
Fuyant la pauvreté*; mais, las, ne fuyant pas

Les regrets*, les ennuis*, le travail* et la peine,
Le tardif repentir* d'une espérance vaine,
Et l'importun souci*, qui me suit pas à pas.

**1.** François Clouet; voir Index, page 37; **2.** *Baïf :* voir Index, page 36; **3.** La Fortune (voir Répertoire, page 33); **4.** Cupidon (voir Répertoire, page 33); **5.** *Gentil :* bien né, noble; **6.** Allusion aux *Amours de Francine*, parus en 1555.

## QUESTIONS

■ Sur l'ensemble du sonnet 21. — Relevez les termes et les images révélant la lassitude du poète.

— Du Bellay juge sa poésie comme mineure : où le dit-il dans le sonnet? Cela correspond-il à la façon moderne d'apprécier les œuvres d'art?

■ Sur le sonnet 24. — Commentez la valeur expressive des adjectifs dans tout le sonnet. Quel aveu précis sur les ambitions de Du Bellay quittant la France apparaît aux vers 11 et 14?

— Dégagez les termes évoquant la déception de Du Bellay, son sentiment d'être une victime, et ses malheurs. Dans les allusions concernant Baïf, ne peut-on déceler en outre le regret du passé chez du Bellay?

— Quelle est la structure du sonnet?

◆ Sur les sonnets 16 à 24. — Dégagez le thème commun de cette série : ce qui s'apparente à l'envie (cette envie est-elle mesquine et malveillante?), à la déception (sur quoi porte cette déception?), à la mélancolie et à l'angoisse.

Se repliant sur lui-même, du Bellay évoque le plus grand de ses malheurs, source de toutes ses amertumes : l'**exil.**

### 25

Malheureux* l'an, le mois, le jour, l'heure et le point[1],
Et malheureuse* soit la flatteuse* espérance,
Quand pour venir ici j'abandonnai la France :
La France, et mon Anjou, dont le désir me point.

Vraiment d'un bon oiseau guidé je ne fus point[2],
Et mon cœur me donnait assez signifiance
Que le ciel était plein de mauvaise influence,
Et que Mars était lors à Saturne conjoint[3].

Cent fois le bon avis lors m'en voulut distraire,
Mais toujours le destin me tirait au contraire;
Et si mon désir n'eût aveuglé ma raison,

N'était-ce pas assez pour rompre mon voyage,
Quand sur le seuil de l'huis, d'un sinistre présage,
Je me blessai le pied sortant de ma maison[4]?

### 26

Si celui qui s'apprête à faire un long voyage
Doit croire cestui-là qui a jà voyagé,
Et qui des flots marins longuement outragé,
Tout moite et dégouttant s'est sauvé du naufrage,

---

**1.** *Le point :* le moment. Tout ce vers est un souvenir de Pétrarque (*Canzoniere*, sonnet 61) ; **2.** Allusion aux augures romains, présages tirés du vol des oiseaux; **3.** Allusion à l'astrologie et aux présages tirés de la position des planètes; **4.** Souvenir d'Ovide et de Tibulle (poètes latins du temps d'Auguste).

## QUESTIONS

■ Sur le sonnet 25. — Quel est le mouvement du premier quatrain; comparez-le au début du sonnet 24. Rapprochez les vers 2 et 11 : qu'apprenons-nous sur l'état d'esprit dans lequel du Bellay est parti pour l'Italie? Commentez le mot *raison* (vers 11).

— Évoquant son départ, est-ce encore en victime (voir sonnets 9 et 24) que se présente du Bellay, ou comme un imprudent responsable de son malheur?

— Relevez les allusions et les images se rapportant à des superstitions. Essayez d'en expliquer l'emploi : ennoblissement littéraire, approfondissement de l'expression du « guignon » dont le poète se sent poursuivi.

Tu me croiras, Ronsard, bien que tu sois plus sage,
Et quelque peu encor, ce crois-je, plus âgé[1],
Puisque j'ai devant toi en cette mer nagé[2]
Et que déjà ma nef découvre le rivage.

Donques je t'avertis que cette mer romaine,
De dangereux écueils et de bancs toute pleine,
Cache mille périls, et qu'ici bien souvent

Trompé du chant pipeur[3] des monstres de Sicile[4],
Pour Charybde éviter tu tomberas en Scylle[5],
Si tu ne sais nager d'une voile à tout vent.

27

Ce n'est l'ambition*, ni le soin* d'acquérir,
Qui m'a fait délaisser ma rive* paternelle,
Pour voir ces monts couverts d'une neige éternelle,
Et par mille dangers ma fortune* quérir.

Le vrai honneur*, qui n'est coutumier de périr,
Et la vraië[6] vertu*, qui seule est immortelle,
Ont comblé mes désirs d'une abondance telle,
Qu'un plus grand bien aux dieux je ne veux requérir.

---

1. Étant donné les dates de naissance actuellement admises pour les deux poètes, cette remarque semble inexacte : du Bellay est né en 1522, Ronsard en 1524; 2. Puisque j'ai navigué avant toi...; 3. *Pipeur :* trompeur; 4. Les Sirènes (voir Répertoire, page 35); 5. Scylla (voir Répertoire, page 32, *Charybde* et *Scylla*). On sait que dans la *Défense et illustration* du Bellay recommandait de franciser les noms étrangers : « Accommode donc tels noms propres, de quelque langue que ce soit, à l'usage de ton vulgaire » (livre II, chapitre IV). 6. *Vraië :* deux syllabes.

## QUESTIONS

■ SUR LE SONNET 26. — Par quelle image du Bellay évoque-t-il sa présence à Rome (vers 4)?

— L'attitude de Du Bellay à l'égard de Ronsard (vers 5-8) : comparez avec les sonnets 17 et 20; expliquez la différence.

— Le thème du voyage : son adaptation au cas du poète; le rapprochement avec *l'Odyssée;* la valeur symbolique de l'image des vers 9-14. La portée du dernier vers : amertume, valeur satirique.

SUR LE SONNET 27.

● VERS 1-4. Que signifie exactement le premier vers? Peut-on croire du Bellay sans réserve sur ce point (voir sonnet 16, vers 1-4; sonnet 24, vers 9-14; sonnet 28, vers 12-14; sonnet 33, vers 5-10; sonnet 38, vers 5-8)? De son propre aveu, qu'est-il venu chercher à Rome (vers 4 et 9-11)?

L'honnête* servitude*, où mon devoir me lie,
M'a fait passer les monts de France en Italie,
Et demeurer trois ans[1] sur ce bord* étranger*,

Où je vis languissant : ce seul devoir encore
Me peut faire changer France à l'Inde et au More[2],
Et le ciel à l'enfer me peut faire changer[3].

28

Quand je te dis adieu, pour m'en venir ici,
Tu me dis, mon La Haye[4], il m'en souvient encore :
Souvienne-toi, Bellay, de ce que tu es ore[5],
Et comme tu t'en vas, retourne-t-en ainsi.

Et tel comme je vins, je m'en retourne aussi;
Hormis un repentir* qui le cœur me dévore,
Qui me ride le front, qui mon chef décolore,
Et qui me fait plus bas enfoncer le sourci[6].

Ce triste repentir*, qui me ronge et me lime,
Ne vient, car j'en suis net, pour sentir[7] quelque crime,
Mais pour m'être trois ans[8] à ce bord* arrêté,

1. Précision qui permet de dater la composition de ce sonnet : 1556; 2. Changer la France pour l'Inde et pour le pays des Mores. L'Inde et le pays des Mores représentent le bout du monde, le monde barbare par excellence; 3. Et peut me faire changer le ciel pour l'enfer (inversion); 4. *La Haye :* voir Index, page 38; 5. *Ore :* maintenant; 6. *Sourci :* orthographe maintenue pour la rime; 7. Parce que j'éprouve du remords inspiré par; 8. Indication sur la date de composition : 1556.

## QUESTIONS

● Vers 5-11. Relevez les termes appartenant au vocabulaire chevaleresque. Qu'entend suggérer le poète quant à sa qualité?

● Vers 12-14. A quoi compare-t-il son séjour à Rome? — Cherchez le mot clef de ce tercet, dépeignant l'état d'âme de Du Bellay. — Soulignez la force du vers 14, compte tenu de la double tradition (culture et religion) que symbolise Rome.

■ Sur l'ensemble du sonnet 27. — Quel reproche du Bellay craint-il ici? Est-il fondé ou non? Comment se défend le poète? Analysez la valeur de cette justification, compte tenu des mœurs de l'époque.

Et pour m'être abusé d'une ingrate espérance,
Qui pour venir ici trouver la pauvreté*,
M'a fait, sot que je suis, abandonner la France.

## 29

Je hais plus que la mort un jeune casanier,
Qui ne sort jamais hors, sinon aux jours de fête,
Et craignant plus le jour qu'une sauvage bête,
Se fait en sa maison lui-même prisonnier.

Mais je ne puis aimer un vieillard* voyager[1],
Qui court deçà delà, et jamais ne s'arrête,
Ains[2] des pieds moins léger que léger de la tête,
Ne séjourne[3] jamais non plus qu'un messager.

L'un sans se travailler* en sûreté demeure,
L'autre, qui n'a repos jusques à tant qu'il meure,
Traverse nuit et jour mille lieux dangereux;

---

**1.** *Voyager :* voyageur, amateur de voyages; **2.** *Ains :* mais; **3.** *Séjourner :* rester en un lieu, s'arrêter.

## QUESTIONS

■ Sur le sonnet 28. — La valeur des trois adjectifs des vers 9, 12, 14. Quel portrait moral brossent-ils? N'y a-t-il pas contradiction entre les vers 9 et 13, d'une part et d'autre part les vers 1 et 12-14 du sonnet 27? — Du Bellay parle ici de *repentir* et non de *regret*. Quelle nuance importante y a-t-il entre les deux mots? Montrez que le désarroi moral s'accompagne d'une usure physique.

Sur le sonnet 29.

● Vers 1-4. Commentez les traits par lesquels du Bellay décrit le *jeune casanier :* en quoi suggèrent-ils, pour un humaniste, quelque chose de détestable?

● Vers 5-8. Les procédés par lesquels est décrit le *vieillard voyager :* quelle impression produit ce portrait?

● Vers 9-14. Le jugement porté sur chacun des deux types d'homme est-il de même ton? Lequel du Bellay méprise-t-il le plus? — Commentez les trois adjectifs (vers 11, 13-14) que du Bellay rapporte au vieillard et à ses voyages. — Ne peut-on penser que le poète s'identifie à l'un des deux hommes? Lequel? Pourquoi?

L'un passe riche et sot heureusement* sa vie,
L'autre, plus souffreteux qu'un pauvre* qui mendie,
S'acquiert en voyageant un savoir* malheureux*.

31

Heureux* qui, comme Ulysse[1], a fait un beau voyage,
Ou comme cestui-là qui conquit la toison[2],
Et puis est retourné, plein d'usage et raison,
Vivre entre ses parents le reste de son âge*!

Quand reverrai-je, hélas, de mon petit village
Fumer la cheminée[3], et en quelle saison
Reverrai-je le clos de ma pauvre* maison,
Qui m'est une province, et beaucoup davantage?

Plus me plaît le séjour qu'ont bâti mes aïeux
Que des palais romains le front audacieux,
Plus que le marbre dur me plaît l'ardoise fine,

1. *Ulysse :* voir Répertoire, page 35; 2. *Jason :* voir Répertoire, page 33; 3. Souvenir d'Homère : « Ulysse rêvant de voir ne fût-ce que monter une fumée du sol natal » (*l'Odyssée*, I, 57-59, trad. P. Jaccottet), et d'Ovide : « On ne doute pas de la sagesse du roi d'Ithaque, et pourtant il souhaite de pouvoir apercevoir la fumée de foyers de sa patrie » (*les Pontiques*, I, III, 33-34, trad. E. Ripert).

## QUESTIONS

■ SUR L'ENSEMBLE DU SONNET 29. — On associe généralement le goût de l'aventure à la jeunesse, et celui du repos à l'âge. Pourquoi du Bellay a-t-il inversé ce rapport?

SUR LE SONNET 31.

● VERS 1-4. Ulysse et Jason sont deux héros de légende : qu'évoquent-ils dans l'imagination des hommes? Quel rapport du Bellay établit-il entre leurs aventures et ses rêves au moment du départ pour Rome? Sur quel aspect de leur légende insiste-t-il (vers 3-4)? Quel est donc pour lui le « bonheur »?

● VERS 5-8. Quelle est la tonalité du vocabulaire désignant les lieux dont rêve du Bellay? Commentez l'élargissement du vers 8 : que signifie ici le mot *province*, et qu'apporte l'imprécision finale? — La différence de ton entre le premier et le second quatrain : montrez qu'elle accompagne l'antithèse des thèmes, et qu'elle provient aussi du vocabulaire et du rythme.

● VERS 9-14. Relevez les mots évoquant Rome : quel en est le caractère? En quoi ce caractère s'oppose-t-il à celui du vocabulaire rappelant l'Anjou? Dégagez la progression dans les images ainsi opposées. Quel effet provoque ce jeu serré d'antithèses vers par vers?

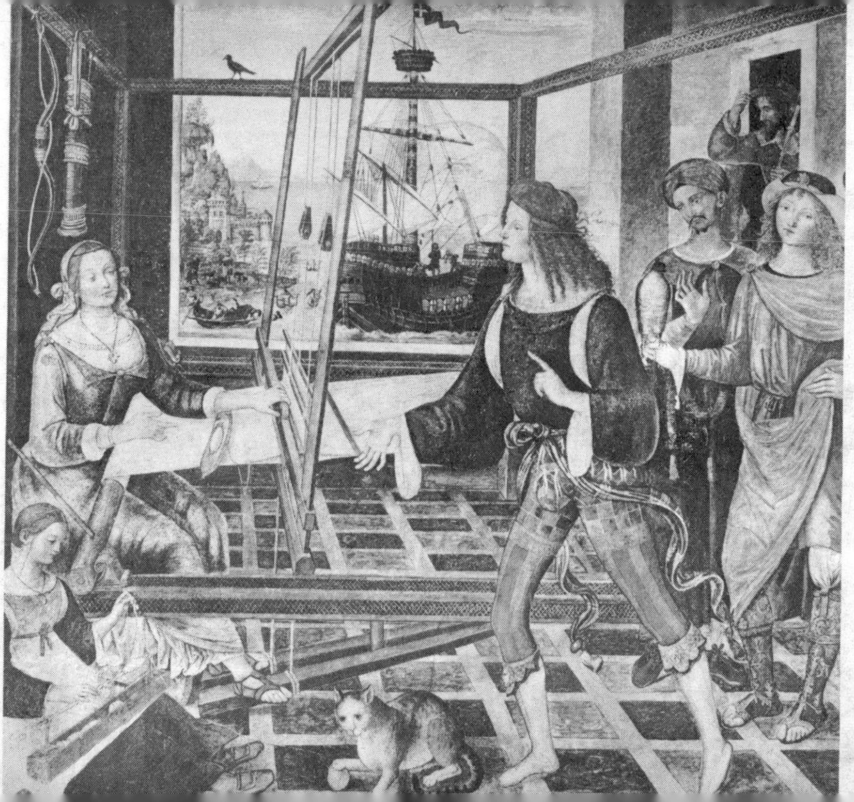

Et je pensais aussi ce que
[pensait Ulysse,
Qu'il n'était rien plus doux
[que voir encore un jour
Fumer sa cheminée, et
[après long séjour
Se retrouver au sein de sa
[terre nourrice.
(Sonnet 130, page 137.)

Ulysse retrouve Pénélope.
Tableau de Pinturicchio
(1454-1513),
National Gallery. Londres.

Phot. Giraudon.

Plus mon Loire gaulois[1] que le Tibre latin,
Plus mon petit Liré[2] que le mont Palatin,
Et plus que l'air marin[3] la douceur angevine.

32

Je me ferai savant* en la philosophie,
En la mathématique et médecine aussi;
Je me ferai légiste, et d'un plus haut souci*
Apprendrai les secrets de la théologie;

Du luth et du pinceau, j'ébatterai[4] ma vie,
De l'escrime et du bal. Je discourais[5] ainsi
Et me vantais en moi d'apprendre tout ceci,
Quand je changeai la France au[6] séjour d'Italie.

O beaux discours[7] humains! Je suis venu si loin
Pour m'enrichir d'ennui*, de vieillesse* et de soin*,
Et perdre en voyageant le meilleur de mon âge*.

Ainsi le marinier souvent pour tout trésor
Rapporte des harengs en lieu de lingots d'or,
Ayant fait, comme moi, un malheureux* voyage.

---

**1.** *Loire* est masculin, d'après l'étymologie latine *Liger*; **2.** *Liré :* pays natal de Du Bellay; **3.** Exemple de la subtilité de Du Bellay sous des apparences faciles. Deux spécialistes commentent de la manière suivante cet hémistiche : « Quant à l'image qui fait antithèse, l' « air marin » (pour nous, l'air du *mare nostrum*, c'est-à-dire celui qui sent moins le sel et l'iode que la conquête du monde), des commentateurs ont pu s'abuser sur elle jusqu'à voir une allusion, rompant avec tout le mouvement du sonnet, aux incommodités du climat de Rome », déclare V.L. Saulnier, tandis qu'Henri Weber écrit : « L'air marin évoque probablement celui des marais de Rome »; **4.** *Ebattre :* égayer; **5.** *Discourir :* raisonner; **6.** *Au séjour :* pour le séjour; sur cette tournure, voir le sonnet 27, vers 13 et la note; **7.** *Discours :* projets.

## QUESTIONS

■ SUR L'ENSEMBLE DU SONNET 31. — Essayez de rendre compte de la parfaite transparence de ce sonnet : expression savamment simple d'un sentiment sincère, fusion parfaite des images et de la musicalité, discrétion de la confidence plus efficace que bien des effusions.

— Après avoir lu ce sonnet, peut-on, à votre avis, donner raison aux romantiques qui voyaient du Bellay comme l'un des leurs? Pourquoi?

■ SUR LE SONNET 32. Pourquoi du Bellay attendait-il tant de son séjour à Rome (vers 1-6)? Ces espoirs pouvaient-ils paraître légitimes?

— L'expression de la désillusion : comment l'antithèse qui oppose les tercets aux quatrains est-elle d'abord préparée, puis développée sur deux registres différents?

33

Que ferai-je, Morel[1]? Dis-moi, si tu l'entends,
Ferai-je encore ici plus longue demeurance,
Ou si j'irai revoir les campagnes de France,
Quand les neiges fondront au soleil du printemps?

Si je demeure ici, hélas, je perds mon temps*
A me repaître en vain d'une longue espérance;
Et si je veux ailleurs fonder mon assurance,
Je fraude mon labeur du loyer* que j'attends.

Mais faut-il vivre ainsi d'une espérance vaine?
Mais faut-il perdre ainsi bien trois ans de ma peine[2]?
Je ne bougerai donc. — Non, non, je m'en irai.

Je demourray[3] pourtant, si tu le me conseilles.
Hélas, mon cher Morel, dis-moi que[4] je ferai,
Car je tiens, comme on dit, le loup par les oreilles[5].

---

Viennent ensuite deux sonnets, 34 et 35, adressés l'un à Morel et l'autre à Dilliers, construits sur l'image de la mer dangereuse et sur l'idée que toute peine vaut un repos, et exprimant le **désarroi** et la **lassitude** du poète.

---

1. *Morel:* voir Index, page 39; 2. Indication de date : sonnet écrit en 1556; 3. Je demeurerai. La graphie ancienne est encore en usage au XVIe siècle. Dans le sonnet 148 des *Soupirs*, Magny orthographie ce mot à la manière moderne (voir la Documentation thématique); la versification nous oblige ici à maintenir la forme originale; 4. Ce que; 5. Proverbe antique, cité dans les *Adages* d'Érasme (I, v, 25); il évoquait une situation délicate.

## QUESTIONS

■ SUR LE SONNET 33. — Essayez de montrer comment les sonorités, les images, l'ampleur du rythme (vers 1-4) évoquent la beauté de l'espoir que représente pour du Bellay le retour en France. N'est-il pas significatif qu'il associe la France au printemps et au symbole qu'il représente?

— Qu'est-ce qui rend le second quatrain moins poétique que le premier?

— Les tercets apportent-ils une nouvelle idée? Quel état d'âme expriment-ils?

— Comparez à ce sonnet le sonnet 148 de Magny cité dans la Documentation thématique.

## 36

Depuis que j'ai laissé mon naturel séjour[1]
Pour venir où le Tibre aux flots tortus[2] ondoie,
Le ciel a vu trois fois[3] par son oblique voie[4]
Recommencer son cours la grand'lampe du jour[5].

Mais j'ai si grand désir de me voir de retour
Que ces trois ans me sont plus qu'un siège de Troie[6],
Tant me tarde, Morel, que Paris je revoie
Et tant le ciel pour moi fait lentement son tour.

Il fait son tour si lent, et me semble si morne,
Si morne et si pesant, que le froid Capricorne[7]
Ne m'accourcit les jours, ni le Cancre les nuits.

Voilà, mon cher Morel[8], combien le temps* me dure
Loin de France et de toi, et comment la nature
Fait toute chose longue avecques mes ennuis*.

---

A l'amertume de l'exil, s'ajoute celle de la **servitude**, déjà évoquée dans les sonnets 12 à 15.

## 37

C'était ores[9], c'était qu'à moi je devais vivre,
Sans vouloir être plus que cela que je suis,

---

1. *Mon naturel séjour :* ma patrie; 2. *Tortu :* tortueux, sinueux; 3. Indication de date (voir aussi vers 6) : composé en 1556; 4. Malgré Copernic (mort en 1543), le ciel est encore, pour l'ensemble des hommes du XVIe siècle, le ciel de l'Antiquité, où le Soleil tourne autour de la Terre : dans son mouvement annuel, il forme avec l'équateur un angle qu'on appelle l' « obliquité de l'écliptique »; 5. Le ciel a vu [...] la grande lampe du jour (le soleil) recommencer son cours (inversion); 6. *Troie :* voir Répertoire, page 35; 7. *Le Capricorne* est le signe du zodiaque qui correspond au solstice d'hiver; *le Cancer* (vers 11), celui du solstice d'été; 8. *Morel :* voir Index, page 39; 9. *Ores :* alors.

**QUESTIONS**

■ SUR LE SONNET 36. — Quel est le sentiment dominant de ce poème? Étudiez le vocabulaire, le rythme, les sonorités, en montrant que tout contribue à créer une impression de ralentissement dans la marche du temps.

— En quoi les références à *la nature* rendent-elles plus pesant et plus irrémédiable l'accablement qui s'exprime ici?

Et qu'heureux* je devais de ce peu que je puis
Vivre content du bien de la plume et du livre.

Mais il n'a plu aux dieux me permettre de suivre
Ma jeune liberté, ni faire que depuis
Je véquisse[1] aussi franc de travaux* et d'ennuis*,
Comme d'ambition* j'étais franc[2] et délivre.

Il ne leur a pas plu qu'en ma vieille saison
Je susse quel bien c'est de vivre en sa maison,
De vivre entre les siens sans crainte et sans envie*;

Il leur a plu, hélas, qu'à ce bord* étranger*
Je visse ma franchise en prison se changer,
Et la fleur de mes ans en l'hiver de ma vie.

## 38

O qu'heureux* est celui qui peut passer son âge*
Entre pareils à soi[3]! et qui sans fiction[4],
Sans crainte, sans envie* et sans ambition*,
Règne paisiblement en son pauvre* ménage[5]!

Le misérable soin* d'acquérir davantage
Ne tyrannise point sa libre affection,

1. Au XVIe siècle, on trouve plus fréquemment le passé simple « véquis » que le moderne *vécus;* d'où l'imparfait du subjonctif employé ici; 2. *Franc, franchise* (vers 13) : libre, liberté (voir sonnet 31, vers 1-4 et sonnet 38); 3. Même thème dans *les Soupirs* de Magny, sonnet 34 (voir la Documentation thématique); 4. *Sans fiction :* sans mensonge; 5. *Son ménage :* sa maison.

**QUESTIONS**

SUR LE SONNET 37.

● VERS 1-4. Quel aspect particulier de sa vie en France le poète évoque-t-il? — Précisez le ton de ce premier quatrain.

● VERS 5-8. L'autre aspect de la vie de Du Bellay en France qui apparaît ici : quels mots clefs l'expriment? — Quel aveu le vers 8 trahit-il? Comparez au sonnet 27, vers 1.

● VERS 9-14. Exposez le thème fondamental qui est repris dans le premier tercet. — Les deux angoisses dominantes de Du Bellay à Rome (vers 12-14) : étudiez les mots et les images qui les expriment.

■ SUR L'ENSEMBLE DU SONNET 37. — D'où provient l'impression de sincérité? Étudiez le vocabulaire, la syntaxe, les rythmes, les rimes.

Et son plus grand désir, désir sans passion,
Ne s'étend plus avant que son propre héritage.

Il ne s'empêche[1] point des affaires d'autrui,
Son principal espoir* ne dépend que de lui,
Il est sa cour, son roi, sa faveur* et son maître.

Il ne mange son bien en pays étranger*,
Il ne met pour autrui sa personne en danger,
Et plus riche qu'il est ne voudrait jamais être.

39

J'aime la liberté, et languis en service*,
Je n'aime point la cour, et me faut courtiser,
Je n'aime la feintise*, et me faut déguiser,
J'aime simplicité, et n'apprends que malice*;

Je n'adore les biens, et sers à l'avarice*,
Je n'aime les honneurs*, et me les faut priser,
Je veux garder ma foi[2], et me la faut briser,
Je cherche la vertu*, et ne trouve que vice*;

Je cherche le repos, et trouver ne le puis,
J'embrasse le plaisir, et n'éprouve qu'ennuis*,
Je n'aime à discourir, en raison je me fonde[3];

---

**1.** *S'empêcher :* s'occuper, s'embarrasser; **2.** Rester loyal, fidèle; **3.** Je suis contraint de tenir des discours fondés sur des raisonnements.

**QUESTIONS**

■ SUR LE SONNET 38. — N'y a-t-il pas opposition entre l'idée exprimée par les vers 5, 6 et 14, et le sonnet 27? (Voir aussi le sonnet 37.) De ces deux façons de présenter les choses, laquelle paraît probablement la plus exacte? L'autre est-elle cependant entièrement fausse?

— Montrez comment le poète illustre ici par un lieu commun son cas personnel, et le parti qu'il en tire; résumez ce lieu commun, montrez comment il est exposé dans le poème. Cherchez dans la littérature d'autres exemples illustrant ce même lieu commun (notamment chez La Fontaine).

— Comparez ce sonnet avec le sonnet 34 de Magny cité dans les Documents, page 162.

◆ SUR LES SONNETS 37 ET 38. — Comparez les deux façons de traiter un même thème.

J'ai le corps maladif, et me faut voyager,
Je suis né pour la Muse, on me fait ménager[1] :
Ne suis-je pas, Morel[2], le plus chétif* du monde?

## 42

C'est ores[3], mon Vineus[4], mon cher Vineus, c'est ore,
Que de tous les chétifs* le plus chétif* je suis,
Et que ce que j'étais, plus être je ne puis,
Ayant perdu mon temps*, et ma jeunesse encore.

La pauvreté* me suit, le souci* me dévore,
Tristes me sont les jours, et plus tristes les nuits.
O que je suis comblé de regrets* et d'ennuis*!
Plût à Dieu que je fusse un Pasquin ou Marphore[5],

Je n'aurais sentiment du malheur* qui me point;
Ma plume serait libre, et si[6] ne craindrait point
Qu'un plus grand contre moi[7] pût exercer son ire.

Assure-toi*, Vineus, que celui seul est roi
A qui même les rois ne peuvent donner loi,
Et qui peut d'un chacun à son plaisir écrire.

---

**1.** On me contraint à servir d'intendant. Tout le sonnet est, sauf le dernier vers, construit sur un développement par antithèses dans le goût pétrarquiste. En outre, on peut y voir aussi la fusion entre deux genres opposés de la poésie provençale, le *plazer* énumérant ce qui plaît, et l'*enveg* énumérant ce qu'on hait; **2.** *Morel :* voir Index, page 39; **3.** *Ores :* maintenant; **4.** *Vineus :* voir Index, page 40; **5.** Statues antiques, à Rome, sur lesquelles on affichait des placards satiriques. Sur Pasquin, voir encore sonnet 108; **6.** *Si :* ainsi; **7.** Allusion à l'hostilité de Montmorency (voir Index, page 39) dans le procès pour la terre d'Oudon (voir Notice, page 13).

## QUESTIONS

■ SUR LE SONNET 39. — Précisez le thème central de ce sonnet. Rattachez-le aux deux sonnets précédents.

— Le jeu des antithèses : étudiez les nuances qui, sous une apparente monotonie, s'insinuent dans les répétitions de termes identiques ou synonymes et dans l'équilibre des oppositions.

■ SUR LE SONNET 42. — Analysez les effets de répétitions dans les vers 1-8 : que veut suggérer le poète par ces reprises? Montrez que ces répétitions s'accompagnent en outre d'une progression, qui culmine aux vers 5-6, dont vous étudierez le rythme et la structure.

— L'effet produit au vers 8 par la rupture de construction, l'irruption d'images inattendues.

— Pourquoi le dernier tercet développe-t-il une maxime générale? Cette impersonnalité tend-elle à atténuer l'effet d'amertume?

La dernière des malchances, celle qui aggrave tous les malheurs : l'**ingratitude.**

43

Je ne commis jamais fraude ni maléfice,
Je ne doutai jamais des points de notre foi,
Je n'ai point violé[1] l'ordonnance du Roi,
Et n'ai point éprouvé la rigueur de justice;

J'ai fait à mon seigneur fidèlement service*,
Je fais pour mes amis* ce que je puis et dois,
Et crois que jusqu'ici nul ne se plaint* de moi
Que vers lui j'aië[2] fait quelque mauvais office.

Voilà ce que je suis. Et toutefois, Vineus[3],
Comme un qui est aux dieux et aux hommes haineux[4],
Le malheur me poursuit et toujours m'importune;

Mais j'ai ce beau confort[5] en mon adversité,
C'est qu'on dit que je n'ai ce malheur* mérité,
Et que digne je suis de meilleure fortune*.

44

Si pour[6] avoir passé sans crime sa jeunesse,
Si pour n'avoir d'usure enrichi sa maison,
Si pour n'avoir commis homicide ou traison[7]*,
Si pour n'avoir usé de mauvaise finesse,

---

1. *Violé :* trois syllabes; 2. *J'aië :* deux syllabes. Prononcer l'*e* muet : j'ai-e; 3. *Vineus :* voir Index, page 40; 4. *Haineux :* odieux; 5. *Confort :* réconfort, consolation; 6. *Pour* a ici un sens causal; 7. *Traison :* prononciation en deux syllabes.

## QUESTIONS

SUR LE SONNET 43.

● VERS 1-8. Quel aspect de lui-même du Bellay met-il en valeur dans chacun des deux quatrains? Ce portrait est-il exact ou flatté?

● VERS 9-14. Quel *malheur* particulier le premier tercet suggère-t-il? Dans le second tercet, du Bellay vous apparaît-il comme convaincu, ou comme cherchant à se convaincre? *Ce beau confort* équilibre-t-il l'*adversité?*

■ SUR L'ENSEMBLE DU SONNET 43. — Dégagez la netteté de la structure : les deux grandes oppositions marquées par l'antithèse, le grand thème qui s'impose par cette contradiction.

Si pour n'avoir jamais violé[1] sa promesse,
On se doit réjouir en l'arrière-saison,
Je dois à l'avenir, si j'ai quelque raison[2],
D'un grand contentement consoler ma vieillesse*.

Je me console donc en mon adversité,
Ne requérant aux dieux plus grand' félicité
Que de pouvoir durer en cette patience.

O dieux, si vous avez quelque souci de nous,
Octroyez-moi ce don, que j'espère* de vous,
Et pour votre pitié et pour mon innocence.

45

O marâtre nature[3] (et marâtre es-tu bien
De ne m'avoir plus sage ou plus heureux* fait naître)
Pourquoi ne m'as-tu fait de moi-même le maître
Pour suivre ma raison et vivre du tout[4] mien?

Je vois les deux chemins, et de mal, et de bien;
Je sais que la vertu* m'appelle à la main dextre
Et toutefois il faut que je tourne à sénestre,
Pour suivre un traître espoir*, qui m'a fait du tout sien.

Et quel profit en ai-je? ô belle récompense*!
Je me suis consumé d'une vaine dépense,
Et n'ai fait d'autre acquêt[5] que de mal et d'ennui[6]*.

1. *Violé :* trois syllabes; 2. *Raison :* jugement; 3. Désignation courante dans la poésie du XVI<sup>e</sup> siècle; rapprochez notamment de Ronsard, dans l'ode *Mignonne, allons voir si la rose :* « O vraiment marâtre nature »; et de Du Bellay : début de la *Défense et illustration*, *l'Olive*, sonnet 103, et *les Antiquités de Rome*, sonnet 9; 4. *Du tout :* entièrement; 5. *Acquêt :* acquisition (sens figuré); 6. Rapprocher du sonnet 32, vers 9-11.

## QUESTIONS

■ SUR LE SONNET 44. — Le thème des cinq premiers vers : rapprochez ce passage du sonnet 43 et cherchez dans d'autres sonnets antérieurs l'expression du même thème.

— Le ton des vers 6-8 est-il celui de l'assurance ou de l'amertume? L'attente de la vieillesse comme moment de la consolation attendue est-elle une véritable espérance (vers 11)?

— L'appel aux dieux (vers 12-14) traduit-il l'espoir?

L'étranger* recueillit[1] le fruit de mon service[2]*,
Je travaille* mon corps d'un indigne exercice
Et porte sur mon front la vergogne[3] d'autrui[4].

## 46

Si par peine et sueur et par fidélité,
Par humble servitude* et longue patience,
Employer[5] corps et biens, esprit et conscience,
Et du tout[6] mépriser sa propre utilité[7],

Si pour n'avoir jamais par importunité
Demandé bénéfice ou autre récompense*,
On se doit enrichir, j'aurai, comme je pense,
Quelque bien à la fin, car je l'ai mérité.

Mais si par larrecin[8] avancé l'on doit être,
Par mentir, par flatter*, par abuser son maître,
Et pis que tout cela faire encor bien souvent[9],

Je connais que je sème au rivage infertile,
Que je veux cribler l'eau[10], et que je bats le vent[11],
Et que je suis, Vineus[12], serviteur inutile.

---

**1.** Recueillit : recueille (présent); voir sonnet 14, vers 12; **2.** Allusion au procès contre Montmorency (voir Notice, page 13); **3.** *Vergogne :* honte; **4.** Allusion possible aux procédés frauduleux par lesquels René, frère aîné de Joachim, aurait acquis la terre d'Oudon; **5.** Emploi de l'infinitif substantivé précédé de la préposition *par*, fréquent au XVIe siècle. Procédé conforme à la prescription de la *Défense et illustration :* « Use donc hardiment de l'infinitif pour le nom » (livre II, chapitre IX); **6.** *Du tout :* voir sonnet 45, vers 4 et la note; **7.** *Utilité :* profit, intérêt; **8.** *Larrecin :* trois syllabes, exigeant le maintien de l'orthographe de Du Bellay; **9.** *Faire ... pis que* (inversion); **10.** Proverbes antiques, cités dans les *Adages* d'Érasme, exprimant tous deux l'idée d'une tâche inutile; **11.** Proverbe français attesté déjà depuis le XIIe siècle, et exprimant la même idée que les précédents; **12.** *Vineus :* voir Index, page 40.

## QUESTIONS

■ SUR LE SONNET 45. — Autour de quelle image traditionnelle ce sonnet s'organise-t-il? Commentez les vers 4 et 8 : quel « regret » particulier, quel « repentir » sont ainsi suggérés?

— Relevez les termes qui traduisent l'aliénation; ceux qui expriment l'inutilité et le danger des compromissions.

■ SUR LE SONNET 46. — Le portrait de Du Bellay par lui-même d'après les deux quatrains : ne retrouve-t-on pas des affirmations déjà vues, notamment dans le sonnet 43?

— La structure du sonnet : comment s'organise l'antithèse? Montrez les correspondances entre les quatrains et les tercets.

— Comparez la construction, le thème, le ton, les procédés d'expression (notamment le dernier mot) à ceux du sonnet 44.

Phot. Larousse.

LE CARDINAL JEAN DU BELLAY (1492-1560)

L'**ingratitude ultime,** celle qui inspire la **disgrâce du cardinal,** est alors évoquée dans un sonnet, — transition entre la veine élégiaque et la suivante.

49

Si après quarante ans de fidèle service[1]*
Que celui que je sers[2] a fait en divers lieux,
Employant, libéral, tout son plus et son mieux
Aux affaires qui sont de plus digne exercice,

D'un haineux étranger[3]* l'envieuse* malice*
Exerce contre lui son courage odieux,
Et sans avoir souci* des hommes ni des dieux
Oppose à la vertu* l'ignorance et le vice*,

Me dois-je tourmenter, moi, qui suis moins que rien,
Si par quelqu'un[4], peut-être, envieux[5]* de mon bien
Je ne trouve à mon gré la faveur* opportune?

Je me console donc, et en pareille mer,
Voyant mon cher seigneur au danger d'abîmer[6],
Il me plaît de courir une même fortune*.

---

**1.** Allusion à la seconde et définitive disgrâce du cardinal du Bellay, desservi auprès du roi par de puissants ennemis, qui ne lui pardonnaient pas les honneurs et les faveurs obtenus après l'élection du pape Paul IV en mai 1555; **2.** Le cardinal du Bellay (voir Index, page 36); **3.** Le cardinal Carlo Carafa (voir Index, page 36); **4.** Montmorency, dans l'affaire du procès; **5.** *Envieux :* trois syllabes; **6.** En danger de sombrer.

## QUESTIONS

SUR LE SONNET 49.

● VERS 1-8. Montrez que l'évocation de la disgrâce (premier quatrain) du cardinal n'est pas anecdotique et que du Bellay lui donne, au contraire, une portée générale : étudiez de ce point de vue le vocabulaire et le mouvement des quatrains.

● VERS 9-14. A quels termes des quatrains s'opposent ceux du vers 9? — La métaphore de la mer (vers 12-14) : que signifie-t-elle? qu'apporte-t-elle? — Quel mot souligne, dans le dernier vers, le nouvel état d'âme du poète?

■ SUR L'ENSEMBLE DU SONNET 49. — Dégagez la construction très nette et très logique du sonnet.

— Pourquoi la disgrâce du cardinal constitue-t-elle une consolation pour le poète? Y a-t-il là mesquinerie ou élévation de la pensée?

**L'INSPIRATION SATIRIQUE** des *Regrets* occupe une place considérable dans le recueil.

C'est d'abord une réflexion de **moraliste,** par laquelle du Bellay s'exhorte à un **effort de ressaisissement.**

50

Sortons, Dilliers[1], sortons, faisons place à l'envie*,
Et fuyons désormais ce tumulte civil,
Puisqu'on y voit priser le plus lâche et plus vil,
Et la meilleure part être la moins suivie.

Allons où la vertu* et le sort nous convie[2],
Dussions-nous voir le Scythe ou la source du Nil[3],
Et nous donnons[4] plutôt un éternel exil*
Que tacher d'un seul point l'honneur* de notre vie.

Sus donques, et devant que le cruel vainqueur
De nous fasse une fable au vulgaire* moqueur,
Bannissons la vertu* d'un exil* volontaire.

Eh quoi? ne sais-tu pas que le banni romain[5],
Bien qu'il fût déchassé[6] de son peuple inhumain,
Fut pourtant adoré du barbare corsaire?

---

1. *Dilliers :* voir Index, page 37; 2. Accord avec le dernier sujet; 3. Les *Scythes* habitaient, dans l'Antiquité, des régions aux frontières peu précises (aujourd'hui sur le territoire de l'U. R. S. S.) et constituaient des tribus barbares et guerrières; quant aux *sources du Nil,* elles ont été longtemps inconnues : ces deux évocations suggèrent le bout du monde (rapprocher du sonnet 27, vers 13); 4. Et donnons-nous. Place normale du pronom personnel complément devant un impératif coordonné à un premier impératif; 5. Scipion l'Africain (voir Index, page 40); 6. *Déchassé :* chassé. Le préfixe *dé* a une valeur intensive.

## QUESTIONS

■ SUR LE SONNET 50. — Comparez les vers 1 et 2 aux deux premiers vers du sonnet 53, et aussi du sonnet 116 : quelle attitude morale ces impératifs et ces coupes traduisent-ils?

— De quel ordre est l'exigence exprimée par du Bellay (vers 7-8)?

— Commentez l'allusion à Scipion (vers 12-14) : quel enrichissement apporte-t-elle à l'ensemble du sonnet?

— Un jugement sur Rome commence à se formuler ici; sur quels faits précis se fonde-t-il (voir sonnet 49, et Notice pages 12-13)? quelle conclusion s'en dégage?

— Relevez les termes qui suggèrent l'idée de fuite : quelle exigence morale révèlent-ils? Comment donnent-ils à ce sonnet un mouvement et un ton qui marquent un changement par rapport au lamento des sonnets précédents?

## 51

Mauny[1], prenons en gré[2] la mauvaise fortune*,
Puisque nul ne se peut de la bonne assurer,
Et que de la mauvaise on peut bien espérer,
Étant son naturel de n'être jamais une[3].

Le sage nocher[4] craint la faveur* de Neptune[5],
Sachant que le beau temps longtemps ne peut durer;
Et ne vaut-il pas mieux quelque orage endurer
Que d'avoir toujours peur de la mer importune?

Par la bonne fortune* on se trouve abusé,
Par la fortune* adverse on devient plus rusé;
L'une éteint la vertu*, l'autre la fait paraître;

L'une trompe nos yeux d'un visage menteur,
L'autre nous fait l'ami* connaître[6] du flatteur*,
Et si[7] nous fait encore à nous-mêmes connaître.

## 53

Vivons, Gordes[8], vivons, vivons, et pour le bruit[9]
Des vieillards* ne laissons à faire bonne chère[10];

---

**1.** *Mauny :* voir Index, page 39; **2.** *Prendre en gré :* accepter de bon cœur; **3.** Puisque, par nature, elle est toujours changeante; **4.** *Nocher :* ici, navigateur; **5.** *Neptune :* voir Répertoire, page 34; **6.** Nous fait distinguer l'ami du flatteur (inversion); **7.** *Et si :* et aussi; **8.** *Gordes :* voir Index, page 37; **9.** *Pour le bruit :* malgré les propos; **10.** Ne renonçons pas à la société (à faire bon visage, à être sociables).

### QUESTIONS

SUR LE SONNET 51.

● VERS 1-4. S'agit-il d'un raisonnement convaincu ou d'un effort pour se persuader soi-même? Comparez aux vers 5-8 du sonnet 44.

● VERS 5-8. L'image par laquelle du Bellay choisit d'illustrer son idée vous semble-t-elle incontestable? N'y a-t-il pas là quelque chose d'analogue à ce qu'on appelle aujourd'hui du « défaitisme »? Pourquoi?

● VERS 9-14. Relevez les arguments en faveur de la *mauvaise fortune :* quelle grande leçon enseigne l'adversité? La progression des arguments.

■ SUR L'ENSEMBLE DU SONNET 51. — S'agit-il de résignation ou d'effort sur soi-même? Du Bellay à présent se laisse-t-il aller à son amertume? — Pourquoi peut-on parler d'une œuvre de moraliste plutôt que d'un poème satirique? A quelle école philosophique s'apparente cette réflexion? Relevez les vers qui prennent l'allure de maximes.

Vivons, puisque la vie est si courte et si chère
Et que même les rois n'en ont que l'usufruit.

Le jour s'éteint au soir, et au matin reluit,
Et les saisons refont leur course coutumière;
Mais quand l'homme a perdu cette douce lumière,
La mort lui fait dormir une éternelle nuit.

Donc imiterons-nous le vivre d'une bête?
Non, mais devers le ciel levant toujours la tête[1],
Goûterons quelquefois la douceur du plaisir.

Celui vraiment est fol, qui changeant l'assurance
Du bien qui est présent en douteuse espérance,
Veut toujours contredire à son propre désir.

## 54

Maraud[2], qui n'es maraud que de nom seulement,
Qui dit que tu es sage, il dit la vérité;
Mais qui dit que le soin* d'éviter pauvreté*
Te ronge le cerveau, ta face le dément.

Celui vraiment est riche et vit heureusement*,
Qui s'éloignant de l'une et l'autre extrémité
Prescrit à ses désirs un terme limité :
Car la vraië[3] richesse est le contentement[4].

Sus donc, mon cher Maraud, pendant que notre maître[5],
Que pour le bien public la nature a fait naître,
Se tourmente l'esprit des affaires d'autrui,

---

1. Proverbe antique : l'homme lève la tête vers le ciel, contrairement aux autres animaux; 2. *Maraud :* voir Index, page 38; 3. *Vraië :* deux syllabes (prononcez l'*e*); 4. *Contentement :* modération, limitation de ses désirs à ce que l'on a; 5. Le cardinal du Bellay (voir Index, page 36).

## QUESTIONS

■ Sur le sonnet 53. — Montrez comment, par le choix des mots et le rythme des vers, du Bellay exprime avec bonheur un lieu commun du lyrisme. Comparez à ce texte le sonnet de Magny, page 163.

— Définissez la qualité de l'« épicurisme » de Du Bellay (vers 9-11). La constatation impersonnelle des vers 12-14 ne traduit-elle pas, en fait, un jugement du poète sur lui-même?

Va devant à la Vigne[1] apprêter la salade;
Que sait-on qui demain sera mort ou malade?
Celui vit seulement, lequel vit aujourd'hui.

## 56

Baïf[2], qui, comme moi, prouves[3] l'adversité,
Il n'est pas toujours bon de combattre l'orage,
Il faut caler la voile, et de peur du naufrage
Céder à la fureur de Neptune[4] irrité.

Mais il ne faut aussi par crainte et vilité[5]
S'abandonner en proie; il faut prendre courage,
Il faut feindre* souvent l'espoir* par le visage,
Et faut faire vertu* de la nécessité.

Donques sans nous ronger le cœur d'un trop grand soin*,
Mais de notre vertu* nous aidant au besoin,
Combattons le malheur*. Quant à moi, je proteste

Que je veux désormais Fortune* dépiter[6],
Et que s'elle entreprend le me faire quitter[7],
Je le tiendrai, Baïf, et fût-ce de ma reste[8].

---

1. *La Vigne :* propriété du cardinal en Italie; 2. *Baïf :* voir Index, page 36; 3. *Prouver :* faire l'expérience de; 4. *Neptune :* la mer. Voir Répertoire, page 34; 5. *Vilité* (ou *vileté*) *:* abjection; 6. *Dépiter :* braver; 7. Si elle entreprend de m'y faire renoncer; 8. *Tenir*, dans un jeu de *renvi* (c'est-à-dire où le perdant peut se racheter), signifie y aller de tout l'argent dont un autre y va. *Jouer de sa reste* signifie exposer tout l'argent qui vous reste, donc jouer ses dernières cartes. Le vers paraît donc signifier : « tenir tête en exposant tout ce qui reste » (note d'Henri Weber).

## QUESTIONS

■ Sur le sonnet 54. — Les similitudes et les différences de thème et de ton entre le second quatrain et le sonnet 38. Comparez de même le premier tercet avec le premier quatrain du sonnet 49.

— Définissez le ton du début (premier quatrain) et de la fin (vers 12 à 14) de ce poème : montrez le rapport entre ce ton et le nom du destinataire. — Relevez les vers maximes : dans quelle tradition philosophique se rangent-ils?

Sur le sonnet 56.

● Vers 1-8. Le thème de chaque quatrain : comment s'équilibrent les images et les maximes? Parmi celles-ci, indiquez celle qui correspond à un dicton encore en usage.

● Vers 9-14. Qu'expriment les tercets? — Quel rapport y a-t-il entre l'image des vers 12-14 et celle du premier quatrain? Ce procédé vous semble-t-il ici de nature à renforcer l'expression de l'idée, ou inutile et factice?

Aux exhortations des sonnets 50 à 56, succède une suite de **portraits.**

## 58

Le Breton[1] est savant* et sait fort bien écrire
En français et toscan, en grec et en romain,
Il est en son parler plaisant et fort humain,
Il est bon compagnon et dit le mot pour rire.

Il a bon jugement et sait fort bien élire[2]
Le blanc d'avec le noir; il est bon écrivain,
Et pour bien compasser[3] une lettre à la main,
Il y est excellent autant qu'on saurait dire.

Mais il est paresseux et craint tant son métier,
Que s'il devait jeûner, ce crois-je, un mois entier,
Il ne travaillerait* seulement un quart d'heure[4].

Bref il est si poltron[5], pour bien le deviser[6],
Que depuis quatre mois qu'en ma chambre il demeure,
Son ombre seulement me fait poltronniser[7].

---

**1.** *Le Breton :* voir Index, page 38 ; **2.** *Elire :* discerner ; **3.** *Compasser :* écrire dans une langue harmonieuse ; **4.** Il aimerait mieux jeûner un mois entier que travailler seulement un quart d'heure ; **5.** *Poltron :* paresseux, avec une nuance de veulerie (italianisme) ; **6.** *Deviser :* décrire ; **7.** Voir Magny, *les Soupirs* (sonnet 132) :

> Autant que Le Breton je ne voudrais qu'il *[mon ennemi]* sût,
> Mais bien qu'il eût de lui la paresse et le vice.

## QUESTIONS

■ Sur l'ensemble du sonnet 56. — La structure du poème repose-t-elle sur une antithèse ou sur une progression?

— Ne pourrait-on considérer ce poème comme un commentaire de l'expression courante : « Au-delà du désespoir, commence l'espoir »? Cherchez comment cela s'applique à la situation, compte tenu de ce que vous savez du tempérament de Du Bellay.

◆ Sur les sonnets 53, 54 et 56. — Dégagez la similitude de thème. Lequel de ces trois poèmes est le plus détendu par le ton? Pourquoi? Dégagez les éléments qui concourent à cette impression.

■ Sur le sonnet 58. — D'après les vers 1-8, montrez qu'il s'agit du portrait d'un humaniste Par quels procédés du Bellay persuade-t-il de la paresse de Le Breton : précisions, vocabulaire insolite, outrance cocasse des exemples donnés comme preuves (vers 9-14)? L'ironie du poète dans ce portrait.

— Comment le sonnet nous aide-t-il à imaginer la vie de Du Bellay à Rome?

59

Tu ne me vois jamais, Pierre[1], que tu ne die[2]
Que j'étudië[3] trop, que je fasse l'amour,
Et que d'avoir toujours ces livres alentour
Rend les yeux éblouis et la tête élourdie.

Mais tu ne l'entends pas; car cette maladie
Ne me vient du trop lire[4] ou du trop long séjour[5],
Ains[6] de voir le bureau[7] qui se tient chacun jour :
C'est, Pierre mon ami*, le livre où j'étudie.

Ne m'en parle donc plus, autant que tu as cher[8]
De me donner plaisir et de ne me fâcher[9]*;
Mais bien en cependant que[10] d'une main habile

Tu me laves la barbe et me tonds les cheveux,
Pour me désennuyer*, conte-moi, si tu veux,
Des nouvelles du Pape et du bruit[11] de la ville.

61

Qui est ami* du cœur est ami* de la bourse,
Ce dira quelque honnête* et hardi demandeur,
Qui de l'argent* d'autrui libéral dépendeur[12]
Lui-même à l'hôpital[13] s'en va toute la course.

---

**1.** Barbier de Rome (voir vers 12); **2.** Ancienne forme du subjonctif en usage jusqu'au XVII^e^ siècle, du moins en poésie. Le *s* final est supprimé à cause de la rime pour l'œil; **3.** *J'étudië :* quatre syllabes; **4.** Infinitif substantivé; **5.** De ma vie trop sédentaire; **6.** *Ains :* mais; **7.** Le secrétariat du cardinal, où défilait une foule de gens; **8.** *Tu as cher :* tu as à cœur; **9.** *Cher - fâcher :* rime pour l'œil qu'on appellera au XVII^e^ siècle *rime normande ;* **10.** *En cependant que :* en même temps que; **11.** *Du bruit :* des rumeurs, de ce qu'on dit; **12.** *Dépendeur :* dépensier; **13.** *L'hôpital :* l'hospice des pauvres.

## QUESTIONS

■ SUR LE SONNET 59. — La poésie de la réalité familière : comment se reflète ici le bavardage chez le barbier?

— Montrez comment, selon l'expression d'Henri Weber, ce sonnet marque « une sorte de passage dialectique de la tristesse intérieure au divertissement de l'observation extérieure ».

— Selon le même auteur, « on peut, toute proportion gardée, comparer du Bellay à Stendhal, qui, lui aussi, recueillait, auprès d'un barbier romain et d'autres petites gens, des traits de mœurs et une vue précise et directe de la vie italienne » : comment le sonnet complète-t-il les renseignements déjà apportés par le sonnet 58 sur la vie quotidienne de Du Bellay à Rome?

Phot. Giraudon.

Ne pense pas, Bouju, que les nymphes latines
...Me fassent oublier nos nymphes angevines.
(Sonnet 90, page 112.)

Nymphes personnifiant les fleuves et rivières de France.

Jean Goujon (1510-1568). Fontaine des Innocents, à Paris.

Mais songe là-dessus qu'il n'est si vive source
Qu'on ne puisse épuiser, ni si riche prêteur
Qui ne puisse à la fin devenir emprunteur,
Ayant affaire à gens qui n'ont point de ressource.

Gordes[1], si tu veux vivre heureusement* Romain,
Sois large de faveur*, mais garde que ta main
Ne soit à tous venants trop largement ouverte.

Par l'un[2] on peut gagner même son ennemi,
Par l'autre[3] bien souvent on perd un bon ami*,
Et quand on perd l'argent*, c'est une double perte.

62

Ce rusé Calabrais[4] tout vice*, quel qu'il soit,
Chatouille à son ami[5]*, sans épargner personne,
Et faisant rire ceux que même il époinçonne,
Se joue autour du cœur de cil[6] qui le reçoit.

Si donc quelque subtil en mes vers* aperçoit
Que je morde en riant, pourtant nul ne me donne
Le nom de feint* ami* vers[7] ceux que j'aiguillonne;
Car qui m'estime tel lourdement se déçoit[8].

La satire, Dilliers[9], est un public exemple
Où, comme en un miroir, l'homme sage contemple
Tout ce qui est en lui ou de laid ou de beau.

Nul ne me lise donc, ou qui me voudra lire
Ne se fâche s'il voit, par manière de rire,
Quelque chose du sien portrait[10] en ce tableau.

---

**1.** *Gordes :* voir Index, page 37; **2.** En étant « large de faveur »; **3.** En prêtant sans mesure; **4.** Horace (voir Index, page 38); **5.** Il *chatouille* [raille] *tout vice, quel qu'il soit,* chez *son ami* » (inversion); **6.** Prend pour cible le cœur de celui...; **7.** *Vers :* envers; **8.** *Se décevoir :* se tromper; **9.** *Dilliers :* voir Index, page 37; **10.** Quelque trait de lui dépeint.

## QUESTIONS

■ SUR LE SONNET 61. — Quel est le type humain représenté ici? S'agit-il d'amitié véritable? Cherchez d'autres critiques de ces amitiés douteuses dans la littérature des XVI^e^ et XVII^e^ siècles.

— Malgré le vers 9, ce sonnet vous paraît-il inspiré exclusivement par la société romaine?

## 63

Quel est celui qui veut faire croire de soi
Qu'il est fidèle ami*, mais quand le temps* se change[1],
Du côté des plus forts soudainement se range,
Et du côté de ceux qui ont le mieux de quoi?

Quel est celui qui dit qu'il gouverne le Roi?
J'entends quand il se voit en un pays étrange*,
Et bien loin de la cour; quel homme est-ce, Lestrange[2]?
Lestrange, entre nous deux, je te prie, dis-le moi.

Dis-moi, quel est celui qui si bien se déguise
Qu'il semble homme de guerre entre les gens d'église,
Et entre gens de guerre aux prêtres est pareil?

Je ne sais pas son nom; mais quiconque il puisse être,
Il n'est fidèle ami*, ni mignon* de son maître,
Ni vaillant chevalier, ni homme de conseil[3].

---

1. Souvenir d'Ovide : « Tant que tu resteras heureux, tu compteras nombre d'amis; si le temps devient nuageux, tu seras seul » (*les Tristes*, I, IX, 5-6, trad. E. Ripert); 2. *Lestrange* : voir Index, page 38; 3. Homme de bon conseil.

### QUESTIONS

■ SUR LE SONNET 62. — Par quelles expressions du Bellay définit-il les procédés et les objets de la satire? Pourquoi se réfère-t-il à Horace? Rapprochez des recommandations de la *Défense et illustration* : « A l'exemple des Anciens [...] taxer modestement [= *modérément*] les vices de ton temps, et pardonner aux noms [= *épargner*, *taire les noms*] des personnes vicieuses. Tu as pour ceci Horace, qui [...] tient le premier lieu entre les satiriques » (livre II, chapitre IV). Quel reproche du Bellay prévoit-il et écarte-t-il à propos de cette veine satirique?
— En quoi le rôle de la satire, tel qu'il est défini ici, annonce-t-il déjà l'ère classique des poètes moralistes?

SUR LE SONNET 63.

● VERS 1-8. Quelle nuance différencie les thèmes des deux quatrains? L'effet produit par le vers 6 et le rejet du vers 7.

● VERS 9-11. Précisez la nature du vice dénoncé. Par quel mot? Commentez les exemples.

● VERS 12-14. Pourquoi la remarque : *Je ne sais pas son nom?* Du Bellay pense-t-il à un individu particulier?

■ SUR L'ENSEMBLE DU SONNET 63. — Dégagez la structure du sonnet : soulignez-en la progression.
— Quel est le type d'homme décrit ici?

Les sonnets 65 à 70 semblent dirigés contre l'humaniste Louis Le Roy[1], le **pédant.**

66

Ne t'émerveille point que chacun il méprise,
Qu'il dédaigne un chacun, qu'il n'estime que soi,
Qu'aux ouvrages d'autrui il veuille donner loi[2],
Et comme un Aristarqu'[3] lui-même s'autorise.

Paschal[4], c'est un pédant[5], et quoiqu'il se déguise,
Sera toujours pédant. Un pédant et un roi[6]
Ne te semblent-ils pas avoir je ne sais quoi
De semblable, et que l'un à l'autre symbolise[7]?

Les sujets du pédant, ce sont ses écoliers,
Ses classes ses états, ses régents[8] officiers,
Son collège, Paschal[9], est comme sa province.

Et c'est pourquoi jadis le Syracusien[10],
Ayant perdu le nom de roi sicilien,
Voulut être pédant, ne pouvant être prince.

67

Magny[11], je ne puis voir un prodigue d'honneur*,
Qui trouve tout bien fait, qui de tout s'émerveille,
Qui mes fautes approuve et me flatte* l'oreille,
Comme si j'étais prince ou quelque grand seigneur.

---

**1.** *Le Roy :* voir Index, page 38; **2.** *Donner loi :* imposer sa loi; **3.** *Aristarque :* voir Index, page 36; **4.** *Paschal :* voir Index, page 39; **5.** *Pédant*, tout en restant proche de son origine italienne (au sens de « maître d'école »), prend déjà sa valeur moderne, péjorative; **6.** Cet hémistiche donne la clé du nom de celui auquel s'en prend du Bellay; **7.** Que l'un se rapporte à l'autre; **8.** *Régent :* répétiteur; **9.** *Paschal :* voir Index, page 39; **10.** Denys le Jeune (voir Index, page 37); **11.** *Magny :* voir Index, page 38.

## QUESTIONS

■ Sur le sonnet 66. — Précisez le trait de caractère que dénonce le premier quatrain. Expliquez *il se déguise* (vers 5), en tenant compte du contexte.

— Comment s'ébauche, se précise, puis se développe la comparaison qui soutient tout le sonnet? Dans quelle mesure le dernier tercet donne-t-il la clé du poème?

Mais je me fâche* aussi d'un fâcheux repreneur,
Qui du bon et mauvais fait censure pareille,
Qui se lit[1] volontiers, et semble qu'il sommeille
En lisant les chansons* de quelque autre sonneur[2].

Cestui-là me déçoit[3] d'une fausse louange,
Et gardant qu'aux bons vers* les mauvais je ne change[4],
Fait qu'en me plaisant trop à chacun je déplais;

Cestui-ci me dégoûte, et ne pouvant rien faire[5]
Qui lui plaise, il me fait également déplaire[6]
Tout ce qu'il fait lui-même et tout ce que je fais.

## 68

Je hais du Florentin[7] l'usurière avarice*,
Je hais du fol Siennois[8] le sens mal arrêté[9],
Je hais du Genevois la rare vérité,
Et du Vénitien[10] la trop caute[11] malice*,

Je hais le Ferrarais pour je ne sais quel vice[12]*,
Je hais tous les Lombards[13] pour l'infidélité[14],

---

**1.** Qui lit ses poèmes; **2.** *Sonneur :* poète; **3.** *Décevoir :* tromper; **4.** Et empêchant que je ne change les mauvais vers pour de meilleurs; **5.** *Et* comme je ne peux *rien faire;* **6.** *Il fait* que me déplaisent *également;* **7.** Florence était une ville de banquiers; **8.** Tout récemment, les *Siennois* s'étaient signalés par leurs changements d'alliance : après s'être battus contre Cosme de Médicis, allié de Charles Quint, en août 1554, ils étaient passés au parti des Impériaux, pour reprendre la lutte contre eux. Monluc, qui avait tenté de les défendre, n'était pas parvenu à sauver la ville (avril 1555); **9.** L'esprit inconstant; **10.** Venise était réputée pour l'habileté, parfois subtile, de sa diplomatie; **11.** *Caute :* rusée, habile; **12.** La cour de Ferrare passait pour très corrompue; **13.** Les Lombards, changeant continuellement de maîtres, enjeu des convoitises des rois de France et des empereurs, ne pouvaient guère rester « fidèles »; **14.** *Infidélité :* manque de parole.

## QUESTIONS

■ SUR LE SONNET 67. — Quel type d'homme décrit le premier quatrain? Relevez les expressions clefs, à la rime, qui soulignent le contraste entre les deux « fâcheux » (vers 1-8).

— Montrez les correspondances entre les tercets et les quatrains, et la progression des quatrains aux tercets.

— Dégagez clairement les raisons de l'antipathie qu'exprime du Bellay : parle-t-il en tant qu'homme ou en tant que poète?

◆ SUR LES SONNETS 66 ET 67. — Montrez comment, partant d'un personnage précis (sonnet 66), du Bellay élargit sa réflexion au type (sonnet 67). En quoi reste-t-il cependant dans les deux cas fidèle à la définition de la satire donnée dans le sonnet 62?

Le fier Napolitain[1] pour sa grand' vanité,
Et le poltron[2] Romain pour son peu d'exercice[3];

Je hais l'Anglais mutin[4] et le brave[5] Écossais[6],
Le traître Bourguignon[7] et l'indiscret[8] Français,
Le superbe* Espagnol et l'ivrogne Tudesque;

Bref, je hais quelque vice* en chaque nation,
Je hais moi-même encor mon imperfection,
Mais je hais par surtout un savoir* pédantesque.

69

Pourquoi me grondes-tu[9], vieux mâtin affamé[10],
Comme si du Bellay n'avait point de défense?
Pourquoi m'offenses-tu, qui ne t'ai fait offense[11],
Sinon de t'avoir trop quelquefois[12] estimé?

Qui t'a, chien envieux*, sur moi tant animé[13],
Sur moi qui suis absent? Crois-tu que ma vengeance
Ne puisse bien d'ici darder jusques en France
Un trait, plus que le tien, de rage envenimé?

---

**1.** Naples était la patrie du *capitan* de la commedia dell'arte, et du pape Paul IV; **2.** *Poltron :* voir sonnet 58, vers 12 et la note; **3.** *Exercice :* activité; **4.** *Mutin :* rebelle; **5.** *Brave :* arrogant; **6.** Les seigneurs de l'entourage de Marie Stuart se faisaient remarquer par leur esprit de clan; **7.** Souvenir des démêlés assaisonnés de perfidies parfois tragiques entre les ducs de Bourgogne et les rois de France; **8.** *Indiscret :* sans discernement, léger; **9.** Pourquoi grondes-tu contre moi?; **10.** Sonnet adressé à Louis Le Roy; voir sonnets 66, 67, 68 et l'Index, page 38; **11.** Pourquoi m'attaques-tu, moi qui ne t'ai causé aucun tort?; **12.** *Quelquefois :* autrefois; **13.** Contre moi tant irrité.

## QUESTIONS

■ SUR LE SONNET 68. — En quoi les vices énumérés dans le premier quatrain ont-ils pour point commun de susciter la défiance? Aux vers 5-8, s'agit-il encore de vices « intérieurs », ou de comportements?

— Les quatrains évoquaient des nations italiennes ou alpines : quelles sont celles qu'évoque le premier tercet? Précisez les rapports suggérés entre ces nations et la France. Du Bellay parle de l'*indiscret Français :* à quel point de vue se place-t-il?

— Pourquoi le dernier vers prend-il un tel relief? S'il s'agit d'invectiver un individu particulier (voir le sonnet 66), en quoi la discrétion de Du Bellay et surtout le procédé de développement du sonnet ne font-ils que donner plus de relief et plus de violence à l'attaque?

Je pardonne[1] à ton nom, pour ne souiller mon livre
D'un nom qui par mes vers* n'a mérité de vivre[2];
Tu n'auras, malheureux*, tant de faveur* de moi.

Mais si plus longuement ta fureur persévère,
Je t'enverrai d'ici un fouet, une Mégère[3],
Un serpent[4], un cordeau[5], pour me venger de toi.

Après un dernier sonnet consacré à cette querelle, du Bellay reprend ses **portraits.**

71

Ce brave qui se croit, pour un jaque[6] de maille,
Etre un second Roland[7], ce dissimulateur
Qui superbe* aux amis*, aux ennemis flatteur*,
Contrefait l'habile homme et ne dit rien qui vaille,

Belleau[8], ne le crois pas; et quoiqu'il se travaille*
De se feindre* hardi d'un visage menteur,
N'ajoute point de foi à son parler vanteur,
Car onc[9] homme vaillant je n'ai vu de sa taille[10].

Il ne parle jamais que des faveurs* qu'il a;
Il dédaigne son maître, et courtise ceux-là
Qui ne font cas de lui; il brûle d'avarice*;

---

**1.** Voir *Défense et illustration :* la satire requiert de « pardonner [= épargner] aux noms des personnes vicieuses » (livre II, chapitre IV); **2.** Idée chère à la Pléiade : c'est le poète qui dispense l'immortalité. Voir *Défense et illustration :* « A la vérité, sans la divine Muse d'Homère, le même tombeau qui couvrait le corps d'Achille eût aussi accablé son renom » (livre II, chapitre V); **3.** Pour égarer ton esprit. Sur *Mégère*, voir Répertoire, page 34; **4.** Pour t'empoisonner; **5.** Pour te pendre; **6.** *Jaque :* cotte légère; **7.** *Roland :* voir Répertoire, page 35; **8.** *Belleau :* voir Index, page 36; **9.** *Onc :* jamais; **10.** Taillé comme lui.

## QUESTIONS

■ SUR LE SONNET 69. — Montrez qu'ici du Bellay se conforme à sa volonté de pratiquer une satire impersonnelle (voir vers 9-11), bien qu'il s'agisse nettement d'une querelle personnelle.

— De quelle déception, de quelle blessure provient l'agressivité de Du Bellay?

— Le registre de la satire est-il ici le même que dans les sonnets 66, 67, 68? Dans quelle mesure ces quatre poèmes dirigés contre Le Roy peuvent-ils être considérés comme différentes variations sur un même thème?

Il fait du bon chrétien[1], et n'a ni foi ni loi;
Il fait de l'amoureux, mais c'est, comme je crois,
Pour couvrir le soupçon de quelque plus grand vice*.

Thème inattendu : « portrait » encore si l'on veut, mais au sens très large, que cette évocation de l'influence subtile et raffinée qu'exerce Rome sur la sensibilité et sur l'intelligence.

## 72

Encore que l'on eût heureusement* compris
Et la doctrine grecque et la romaine ensemble,
Si est-ce, Gohory[2], qu'ici[3], comme il me semble
On peut apprendre encore, tant soit-on bien appris[4].

Non pour[5] trouver ici de plus doctes* écrits
Que ceux que le Français soigneusement* assemble,
Mais pour l'air plus subtil, qui doucement nous emble[6]
Ce qui est plus terrestre et lourd en nos esprits.

Je ne sais quel démon[7] de sa flamme divine
Le moins parfait de nous purge[8], éprouve et affine,
Lime le jugement et le rend plus subtil;

---

1. Il contrefait le bon chrétien; 2. *Gohory :* voir Index, page 37; 3. *Si est-ce que :* cependant; 4. Si cultivé qu'on soit; 5. *Pour* a ici, comme aux vers 7 et 14, une valeur causale; 6. *Embler :* enlever; 7. *Démon :* voir Répertoire, page 33; 8. *Purger :* purifier.

## QUESTIONS

■ Sur le sonnet 71. — La composition des deux quatrains : montrez les correspondances étroites qui créent une symétrie dans leur architecture. Par quelles antithèses se traduit la duplicité du personnage? Comparez le second quatrain avec le sonnet 63.

— La structure des tercets : comment la reprise du thème développé dans les quatrains permet-elle d'enrichir le portrait et d'aggraver la critique?

— Par comparaison avec les sonnets 63, 66, 67, 68, 69, mettez en relief le défaut qui reste, aux yeux de Du Bellay, le plus grave et qui apparaît comme la cause des autres vices.

Mais qui trop y demeure, il envoie en fumée[1]
De l'esprit trop purgé la force consumée,
Et pour l'émoudre[2] trop, lui fait perdre le fil[3].

## 73

Gordes[4], j'ai en horreur un vieillard* vicieux*
Qui l'aveugle appétit de la jeunesse imite,
Et jà[5] froid par les ans de soi-même s'incite
A vivre délicat en repos ocieux[6].

Mais je ne crains rien tant qu'un jeune ambitieux*
Qui pour se faire grand[7] contrefait de l'ermite[8],
Et voilant sa traison* d'un masque d'hypocrite,
Couve sous beau semblant[9] un cœur malicieux*.

Il n'est rien, ce dit-on en proverbe vulgaire*,
Si sale qu'un vieux bouc, ni si prompt à mal faire
Comme[10] est un jeune loup; et pour le dire mieux,

1. Mais, si l'on y demeure trop, le démon dissipe; 2. *Émoudre :* aiguiser; 3. *Le fil :* le tranchant; 4. *Gordes :* voir Index, page 37; 5. *Jà :* déjà; 6. *Ocieux :* oisif (3 syllabes); 7. En imposer; 8. Prendre le masque de l'ermite; 9. Une belle apparence; 10. *Comme :* que.

## QUESTIONS

■ Sur le sonnet 72. — L'ambiguïté de l'impression éprouvée par du Bellay à Rome : montrez qu'il l'exprime avec précision et lucidité. Commentez le sens et l'emploi du mot *subtil* aux vers 7 et 11.

— Étudiez le jeu des images dans les vers 9-14 : comment le poète réussit-il à harmoniser deux métaphores de caractère différent?

— Quelle nuance importante ce sonnet apporte-t-il à l'ensemble du jugement défavorable porté par du Bellay sur Rome? Dans quelle mesure peut-il expliquer l'originalité des *Regrets* dans l'œuvre de Du Bellay?

Sur le sonnet 73.

● Vers 1-8. Relevez les adjectifs des vers 1-4, et montrez-en l'expressivité. — Dans les vers 5-8, relevez les mots qui évoquent la « feintise »; expliquez ce qu'entend du Bellay par *ambitieux*. — Quels sont les deux types évoqués ici? Commentez ce qu'ajoute l'opposition entre *vieux* et *jeune* au contraste entre ces deux « caractères ».

● Vers 9-14. Les similitudes et les différences de thème, de ton et d'images entre les deux tercets. — Pourquoi une double comparaison avec des animaux? Qu'apporte-t-elle?

Quand bien au naturel de tous deux je regarde[1],
Comme un fangeux pourceau l'un déplaît à mes yeux,
Comme d'un fin renard de l'autre je me garde.

## 75

Gordes[2], que du Bellay aime plus que ses yeux[3],
Vois comme la nature, ainsi que du visage,
Nous a faits différents de mœurs et de courage[4];
Et ce qui plaît à l'un à l'autre est odieux.

Tu dis : je ne puis voir un sot audacieux
Qui un moindre que lui brave à son avantage[5],
Qui s'écoute parler, qui farde son langage,
Et fait croire de lui qu'il est mignon* des dieux.

Je suis tout au contraire, et ma raison est telle :
Celui dont la douceur courtoisement[6] m'appelle
Me fait outre mon gré[7] courtisan* devenir;

Mais de tel entretien[8] le brave[9] me dispense,
Car n'étant obligé vers[10] lui de récompense*,
Je le laisse tout seul lui-même entretenir.

Reprenant le thème traité au sonnet 62, le sonnet 76 justifie la satire révélatrice de la vérité. Les sonnets suivants vont préciser les **intentions satiriques** de Du Bellay.

---

**1.** Quand je considère bien le tempérament de tous deux; **2.** *Gordes :* voir Index, page 37; **3.** Expression imitée de Catulle, qui l'emploie dans plusieurs de ses élégies; **4.** *Courage :* cœur; **5.** Cherche à en imposer à; **6.** *Courtoisement.* Évoquant le raffinement des manières, ce mot suggère ici la flatterie; **7.** Plus que je ne le voulais; **8.** *Entretien :* comportement empressé. De même au vers 14, *Entretenir :* se mettre en frais pour; **9.** *Le brave :* l'arrogant; **10.** *Vers :* envers.

## QUESTIONS

■ Sur l'ensemble du sonnet 73. — Comparez les vices associés ici à la vieillesse et à la jeunesse avec le même procédé appliqué à d'autres thèmes dans le sonnet 29.

■ Sur le sonnet 75. — Quel aspect de son propre caractère la préférence de Du Bellay révèle-t-elle? Rapprochez ce sonnet des sonnets 67 et 71.

— Précisez les rapprochements que l'on pourrait établir entre le comportement des deux amis, Gordes et du Bellay, et celui d'Alceste et Philinte dans *le Misanthrope* de Molière.

## 77

Je ne découvre ici les mystères sacrés
Des saints prêtres romains[1], je ne veux rien écrire
Que la vierge honteuse[2] ait vergogne de lire,
Je veux toucher sans plus aux vices* moins secrets[3].

Mais tu diras que mal je nomme ces Regrets*,
Vu que le plus souvent j'use de mots pour rire;
Et je dis que la mer ne bruit toujours son ire[4],
Et que toujours Phœbus[5] ne sagette[6] les Grecs.

Si tu rencontres donc ici quelque risée,
Ne baptise pourtant de plainte* déguisée
Les vers* que je soupire au bord* ausonien[7].

La plainte* que je fais, Dilliers[8], est véritable :
Si je ris, c'est ainsi qu'on se rit à la table[9],
Car je ris, comme on dit, d'un ris sardonien[10].

---

1. Précision qui peut n'être pas superflue : du Bellay ne touchera pas à la question des dogmes, brûlante au siècle de la Réforme; 2. *Honteux :* pudique, réservé; 3. Les moins secrets; 4. Ne fait pas toujours mugir sa colère; 5. *Phœbus :* Apollon. Voir Répertoire, page 35; 6. *Sagetter :* viser de ses flèches; allusion aux flèches du dieu, dispensatrices de l'inspiration artistique, aussi bien que de fléaux catastrophiques; 7. *Ausonien :* romain; l'Ausonie est le nom donné soit à l'Italie entière, soit seulement à l'Italie centrale, habitée, à l'origine, par le peuple des Ausones; 8. *Dilliers :* voir Index, page 37; 9. *A la table :* en public; 10. *Sardonien :* quatre syllabes. Proverbe antique, encore en usage aujourd'hui (on parle de « rire sardonique »), tirant son origine d'une plante de Sardaigne qui passait pour contracter la bouche : « L'*apium risus,* autrement appelé *sardonia,* espèce de *ranunculus,* rend les hommes insensés, induisant une convulsion et distension des nerfs telle que les lèvres se retirent, en sorte qu'il semble que le malade rit, dont est venu en proverbe *Ris sardonien,* pour un ris malheureux et mortel » (Ambroise Paré). Cité aussi dans les *Adages* d'Érasme.

### QUESTIONS

Sur le sonnet 77.

● Vers 1-4. Montrez comment les tournures restrictives des vers 1-3 accroissent la portée du vers 4.

● Vers 5-8. Expliquez les métaphores qu'emploie du Bellay pour justifier son entreprise. — Quel rapport peut-on établir entre ce qu'évoquent ces images et les thèmes fondamentaux des *Regrets?*

● Vers 9-14. Quel sentiment du Bellay éprouve-t-il d'après ces vers? Est-il paradoxal que ce sentiment inspire aussi la satire? — S'agit-il d'un cas particulier, ou cela est-il caractéristique de l'inspiration satirique?

■ Sur l'ensemble du sonnet 77. — Quelle est l'importance de ce sonnet pour comprendre l'unité d'inspiration qui anime *les Regrets?*

78

Je ne te conterai de Bologne et Venise,
De Padoue et Ferrare et de Milan encor,
De Naples, de Florence, et lesquelles sont or[1]
Meilleures pour la guerre ou pour la marchandise[2].

Je te raconterai du siège de l'Église,
Qui fait d'oisiveté son plus riche trésor[3],
Et qui dessous l'orgueil de trois couronnes d'or[4]
Couve l'ambition*, la haine et la feintise* :

Je te dirai qu'ici le bonheur* et malheur*,
Le vice*, la vertu*, le plaisir, la douleur,
La science* honorable* et l'ignorance abonde.

Bref, je dirai qu'ici comme en ce vieil Chaos[5],
Se trouve, Peletier[6], confusément enclos
Tout ce qu'on voit de bien et de mal en ce monde.

79

Je n'écris point d'amour, n'étant point amoureux,
Je n'écris de beauté, n'ayant belle maîtresse,
Je n'écris de douceur, n'éprouvant que rudesse,
Je n'écris de plaisir, me trouvant douloureux;

---

1. *Or :* maintenant; 2. *La marchandise :* le commerce; 3. Critique courante au XVIe siècle dans les milieux humanistes, en particulier chez les Français. Voir notamment Rabelais dans l'*Escale à l'île sonnante :* « En cette île vous n'avez que cages et oiseaux; ils ne labourent ni cultivent la terre. Toute leur occupation est à gaudir *[se réjouir]*, gazouiller et chanter. De quel pays vous vient cette corne d'abondance, et copie *[richesse]* de tant de biens et friands morceaux? » (*Cinquième Livre*, chapitre VI); 4. La tiare pontificale; 5. *Chaos :* voir Répertoire, page 32; 6. *Peletier du Mans :* voir Index, page 40.

## QUESTIONS

■ SUR LE SONNET 78. — Comment est mis en relief le caractère privilégié de Rome par rapport aux autres villes italiennes? De quel ordre est ce privilège, d'après le second quatrain?

— Les tercets apportent-ils seulement une atténuation à la critique impitoyable des vers 4-8? Quelle modification apportent-ils à la première image de Rome? Montrez l'antithèse implicite entre le vers 12 et le vers 6 : qu'y a-t-il de paradoxal dans la vie romaine?

Je n'écris de bonheur*, me trouvant malheureux*,
Je n'écris de faveur*, ne voyant ma Princesse[1],
Je n'écris de trésors, n'ayant point de richesse,
Je n'écris de santé me sentant langoureux;

Je n'écris de la cour, étant loin de mon Prince[2],
Je n'écris de la France, en étrange* province,
Je n'écris de l'honneur*, n'en voyant point ici;

Je n'écris d'amitié*, ne trouvant que feintise*,
Je n'écris de vertu*, n'en trouvant point aussi,
Je n'écris de savoir*, entre les gens d'Église.

Viennent alors les sonnets qui décrivent les **aspects de Rome.**

80

Si je monte au Palais[3], je n'y trouve qu'orgueil,
Que vice* déguisé, qu'une cérémonie[4],
Qu'un bruit de tambourins[5], qu'une étrange* harmonie,
Et de rouges habits un superbe* appareil;

Si je descends en banque[6], un amas et recueil
De nouvelles je trouve, une usure infinie,

**1.** Marguerite de Valois (voir Index, page 38); **2.** Henri II (voir Index, page 37); **3.** Le Vatican; **4.** Le faste de la cour pontificale; **5.** Les tambours de la garde pontificale; **6.** Dans le quartier des banques.

**QUESTIONS**

■ SUR LE SONNET 79. — Montrez que, sous une apparente monotonie de forme, les procédés de rhétorique développent d'un vers à l'autre des nuances de la pensée et du sentiment.

— Relevez dans le premier hémistiche de chaque vers les mots qui traduisent l'idéal perdu : est-ce uniquement l'exil qui est responsable du malheur du poète? Dans les antithèses des seconds hémistiches, dégagez la progression : à partir de quel vers la satire apparaît-elle? Comment le vers 14 aggrave-t-il la dénonciation satirique?

— Comparez ce sonnet au sonnet 39 : la parenté entre les thèmes et l'emploi des procédés de rhétorique.

SUR LE SONNET 80.

● VERS 1-4. Par quels procédés du Bellay anime-t-il cette évocation (alternance de termes abstraits et concrets, impressions auditives et visuelles, sonorités, reprises d'idées) ?

De riches Florentins[1] une troupe bannie,
Et de pauvres* Siennois[2] un lamentable* deuil[3];

Si je vais plus avant, quelque part où j'arrive[4],
Je trouve de Vénus la grand'bande lascive[5]
Dressant de tous côtés mille appâts amoureux;

Si je passe plus outre, et de la Rome neuve
Entre en la vieille Rome, adonques[6] je ne treuve[7]
Que de vieux monuments un grand monceau pierreux.

81

Il fait bon voir, Paschal[8], un conclave serré[9],
Et l'une chambre à l'autre également voisine
D'antichambre servir, de salle et de cuisine,
En un petit recoin de dix pieds en carré;

Il fait bon voir autour le palais emmuré,
Et briguer là-dedans cette troupe divine[10],
L'un par ambition*, l'autre par bonne mine[11],
Et par dépit de l'un[12] être l'autre adoré[13];

---

**1.** Les partisans de Pietro Strozzi, alliés aux Français, bannis après leur échec par Côme Ier de Médicis, allié à Charles Quint : on les nommait « forussiz » (voir sonnet 113), en italien *fuorusciti ;* **2.** Réfugiés à Rome après la capitulation de Sienne, vainement défendue par Monluc devant les Impériaux, en avril 1555; **3.** *Deuil :* douleur, détresse; **4.** En quelque endroit que j'arrive; **5.** Les courtisanes; **6.** *Adonques :* alors; **7.** *Je treuve :* ancienne forme de trouver, qu'on rencontre encore au XVIIe siècle; **8.** *Paschal :* voir Index, page 39; **9.** Les cardinaux restent cloîtrés pendant toute la durée du conclave, sans pouvoir, en principe, communiquer avec l'extérieur. Pendant son séjour à Rome, du Bellay, secrétaire d'un cardinal, a eu l'occasion de voir de près deux conclaves en 1555 : élections de Marcel II et de Paul IV; **10.** *Briguer* (intriguer) a pour sujet *troupe divine* (assemblée de prélats) et est employé sans complément; **11.** *Bonne mine :* prometteuse apparence; **12.** L'un étant écarté, laissé de côté; **13.** Allusion à la cérémonie d'adoration du pape nouvellement élu.

## QUESTIONS

● VERS 9-14. A quels aspects de Rome le poète s'attache-t-il maintenant? — Quelle impression à la fois contrastée et concordante ces deux dernières images de Rome provoquent-elles?

■ SUR L'ENSEMBLE DU SONNET 80. — Dégagez le mouvement de chute qui caractérise cette évocation de Rome. Ne peut-on penser que la rapidité de touche, à laquelle le cadre du sonnet contraint du Bellay, accentue la vivacité de cette vue d'ensemble? En quoi Rome est-elle le *Chaos* annoncé au vers 12 du sonnet 78?

Il fait bon voir dehors toute la ville en armes[1]
Crier : « le Pape est fait », donner de faux alarmes[2],
Saccager un palais; mais plus que tout cela

Fait bon voir, qui de l'un, qui de l'autre se vante,
Qui met[3] pour cestui-ci, qui met pour cestui-là,
Et pour moins d'un écu dix cardinaux en vente.

## 82

Veux-tu savoir, Duthier[4], quelle chose c'est Rome?
Rome est de tout le monde un public échafaud[5],
Une scène, un théâtre, auquel rien ne défaut[6]
De ce qui peut tomber ès actions de l'homme.

Ici se voit le jeu de la Fortune*, et comme[7]
Sa main nous fait tourner[8] ores bas, ores[9] haut;
Ici chacun se montre, et ne peut, tant soit caut[10],
Faire que tel qu'il est, le peuple ne le nomme[11].

Ici du faux et vrai la messagère[12] court,
Ici les courtisans* font l'amour et la court[13],
Ici l'ambition* et la finesse[14] abonde;

Ici la liberté fait l'humble audacieux,
Ici l'oisiveté rend le bon vicieux*,
Ici le vil faquin discourt des faits du monde.

---

**1.** Prête à célébrer l'événement; **2.** *Alarmes* est indifféremment masculin ou féminin au XVIe siècle; **3.** *Mettre :* parier; **4.** *Duthier :* voir Index, page 37; **5.** *Echafaud :* estrade; **6.** *Défaillir :* manquer; **7.** *Comme :* comment; **8.** Allusion à la roue de la Fortune. Voir Répertoire, page 33; **9.** *Ores ... ores :* tantôt ... tantôt; **10.** Si avisé soit-il; **11.** Empêcher le peuple de le nommer pour ce qu'il est; **12.** La Renommée; **13.** *Court :* orthographe normale à l'époque, maintenue dans notre texte afin de préserver la rime pour l'œil; **14.** *Finesse :* ruse.

### QUESTIONS

■ Sur le sonnet 81. — Montrez qu'on pourrait presque parler d'une suite d'instantanés ou de plans cinématographiques. Quels aspects d'une élection pontificale les quatrains, puis les tercets fixent-ils?

— L'inspiration satirique : comment s'équilibrent les détails concrets et les notations psychologiques?

■ Sur le sonnet 82. — A quoi voit-on dans le premier quatrain que du Bellay est sensible à la vie intense de Rome?

— Dégagez les deux idées exprimées aux vers 5-8 : montrez qu'elles se rattachent à des réalités précises (voir notamment sonnet 102).

— Analysez sous quelle forme le premier tercet reprend des idées déjà exprimées dans les quatrains. De quel ordre est la critique portée par les vers 12-13? Est-elle comparable à celle qu'exprime le vers 14?

On ne voit que soldats,
On n'oit que tambourins,

Siège de Rome en 1527.

Phot. Larousse

enseignes, gonfanons,
trompettes et canons.
(Sonnet 116, page 127.)

Attaque du château Saint-Ange.

Nouvel **« instantané »**, nouveau « reportage » : la panique de Rome, à l'approche des troupes espagnoles du duc d'Albe, vice-roi de Naples, dans les derniers mois de 1556, après la rupture de la trêve de Vaucelles.

## 83

Ne pense, Robertet[1], que cette Rome-ci
Soit cette Rome-là, qui te soulait[2] tant plaire.
On n'y fait plus crédit comme l'on soulait faire,
On n'y fait plus l'amour, comme on soulait aussi.

La paix et le bon temps* ne règnent plus ici,
La musique et le bal sont contraints de s'y taire,
L'air y est corrompu, Mars[3] y est ordinaire,
Ordinaire la faim, la peine et le souci*.

L'artisan débauché y ferme sa boutique,
L'ocieux[4] avocat y laisse sa pratique
Et le pauvre* marchand y porte le bissac[5];

On ne voit que soldats, et morions[6] en tête,
On n'oit[7] que tambourins[8] et semblable tempête,
Et Rome tous les jours n'attend qu'un autre sac[9].

## 84

Nous[10] ne faisons la cour aux filles de Mémoire[11]
Comme vous[12] qui vivez libres de passion[13];

1. *Robertet :* voir Index, page 40; 2. *Souloir :* avoir l'habitude; 3. *Mars :* la guerre; 4. *Ocieux :* trois syllabes (voir sonnet 73, vers 4 et la note); 5. Il est réduit à la mendicité et à la condition de vagabond; 6. *Morion :* casque léger, encore porté par la garde suisse du Vatican; 7. On n'entend (du verbe *ouïr*); 8. *Tambourins :* tambours de guerre; 9. Conquise par les Impériaux en mai 1527, Rome fut mise à sac et resta longtemps marquée par le souvenir de ces horreurs (voir le sonnet 116); 10. *Nous* désigne les Français établis à Rome au service d'un prélat; 11. Les Muses (voir Répertoire, page 34); 12. Les amis restés en France; 13. *Passion :* tourment, souffrance.

### QUESTIONS

■ SUR LE SONNET 83. — Il s'agit de l'« atmosphère » de la ville : montrez que du Bellay l'évoque sans recourir à la description dans les quatrains et, au contraire, à l'aide du détail précis et parfois pittoresque dans les tercets.

— Commentez le caractère expressif des adjectifs dans les vers 9-11, en rapport avec la fin de chaque vers : quel fléau dénoncent-ils? La valeur évocatrice des substantifs dans les vers 12-14.

Si vous ne savez donc notre occupation,
Ces dix vers* ensuivants vous la feront notoire :

Suivre son cardinal au Pape, au consistoire[1],
En capelle[2], en visite, en congrégation[3],
Et pour l'honneur* d'un prince, ou d'une nation
De quelque ambassadeur accompagner la gloire[4],

Etre en son rang de garde auprès de son seigneur,
Et faire aux survenants l'accoutumé honneur*,
Parler du bruit qui court, faire de[5] l'habile homme;

Se promener en housse[6], aller voir d'huis en huis
La Marthe ou la Victoire[7], et s'engager[8] aux Juifs :
Voilà, mes compagnons, les passe-temps de Rome.

85

Flatter* un créditeur[9] pour son terme allonger[10],
Courtiser un banquier, donner bonne espérance,
Ne suivre en son parler la liberté de France,
Et pour répondre un mot, un quart d'heure y songer[11];

---

1. *Consistoire :* assemblée de cardinaux présidée par le pape; 2. *Capelle :* chapelle (d'après l'italien *capella*); 3. *Congrégation :* assemblée de prélats réunis pour examiner certaines affaires en cour de Rome; 4. Lui faire visiter Rome; 5. *Faire de :* voir sonnet 71, vers 12 et la note; 6. La *housse*, couverture attachée à la selle, couvrait l'arrière-train du cheval; 7. Courtisanes romaines; 8. Emprunter sur gages; 9. *Créditeur :* créancier; 10. Pour obtenir des délais; 11. « Sans qu'il y ait forcément imitation », remarque Henri Weber à propos de ce sonnet, « on peut rapprocher cette prudence romaine de la prudence lombarde dont parle Marot :

Car ces Lombards avec qui je chemine
M'ont fort appris à faire bonne mine;
A un mot seul de Dieu ne deviser,
A parler peu et à poltronniser.
Dessus un mot une heure je m'arrête;
S'on parle à moi, je réponds de la tête.

(Épître 52, « A Monseigneur le Dauphin, du temps de son dit exil ».)

## QUESTIONS

■ SUR LE SONNET 84. — Quel sentiment transparaît dans les deux premiers vers? Rapprochez-le de celui qui inspire les sonnets 16-24.

— Dans les vers 5-11, indiquez les procédés par lesquels du Bellay suggère le caractère fastidieux de ses tâches. Quel « regret » s'exprime implicitement dans ces vers? A quoi sent-on que du Bellay se juge avili?

— Précisez la nature des « passe-temps » évoqués aux vers 12-13? Comment pourrait-on qualifier le genre de vie qu'ils décrivent? Quel jugement de Du Bellay sur lui-même y transparaît?

— Quel est le ton général de ce sonnet? Bien qu'il ne « pleure » plus (sonnet 12), peut-on penser qu'en écrivant ce poème du Bellay est résigné?

Ne gâter sa santé par trop boire et manger,
Ne faire sans propos une folle dépense,
Ne dire à tous venants tout cela que l'on pense,
Et d'un maigre discours gouverner[1] l'étranger*;

Connaître les humeurs[2], connaître qui demande,
Et d'autant que l'on a la liberté plus grande,
D'autant plus se garder que l'on ne soit repris;

Vivre avecques chacun, de chacun faire compte[3] :
Voilà, mon cher Morel[4], dont je rougis[5] de honte,
Tout le bien qu'en trois ans à Rome j'ai appris.

## 86

Marcher d'un grave pas et d'un grave sourci[6],
Et d'un grave souris à chacun faire fête,
Balancer[7] tous ses mots, répondre de la tête
Avec un *Messer non*[8], ou bien un *Messer si*[9] *;*

Entremêler souvent un petit *Et Cosi*[10],
Et d'un *son Servitor*[11] contrefaire l'honnête*,
Et, comme si l'on eût sa part en la conquête[12],
Discourir sur Florence, et sur Naples aussi ;

---

1. *Gouverner :* entretenir; 2. *Humeur :* caractère; 3. *Faire compte :* tenir compte; 4. *Morel :* voir Index, page 39; 5. Et j'en rougis; 6. *Sourci :* sourcil. Orthographe maintenue afin de conserver la rime pour l'œil. Les mouvements de sourcil reflètent l'expression des sentiments; 7. *Balancer :* peser; 8. *Messer non :* non, Monsieur (en italien); 9. *Messer si :* oui, Monsieur; 10. *Et Cosi :* et ainsi? Eh bien?; 11. *Son Servitor :* je suis votre serviteur; 12. Allusion à la guerre de conquête menée en Italie par les puissances : France et Empire.

## QUESTIONS

■ Sur le sonnet 85. — Quel vers, dans le premier quatrain, rappelle le thème du regret? Montrez que l'ensemble du sonnet s'oppose au sentiment qu'exprime ce vers.

— Relevez les tournures affirmatives, négatives, restrictives, les parallélismes et les dissymétries de construction : montrez que ces procédés traduisent le jeu subtil de précautions, d'hésitations auquel du Bellay est contraint de se soumettre. Analysez notamment l'effet expressif du vers 4.

— La série d'infinitifs représente-t-elle des gestes précis, des comportements, ou plutôt des façons de sentir et des états d'esprit?

Seigneuriser[1] chacun d'un baisement de main,
Et suivant la façon du courtisan* romain,
Cacher sa pauvreté* d'une brave[2] apparence :

Voilà de cette cour la plus grande vertu*,
Dont souvent mal monté[3], mal sain, et mal vêtu,
Sans barbe[4] et sans argent* on s'en retourne en France.

---

Suit une série de sonnets consacrés aux **femmes de Rome.** On y trouve une allusion à la passion du poète pour une Romaine nommée Faustine, évoquée plus précisément dans le recueil latin des *Poemata.* C'est en 1556, à la fin de son séjour, que du Bellay la connut.

87

D'où vient cela, Mauny[5], que tant plus on s'efforce
D'échapper hors d'ici, plus le démon[6] du lieu
(Et que serait-ce donc, si ce n'est quelque dieu?)
Nous y tient attachés par une douce force?

Serait-ce point d'amour cette alléchante amorce,
Ou quelque autre venin, dont après avoir beu[7]

---

**1.** *Seigneuriser :* traiter en seigneur; **2.** *Brave :* arrogant et somptueux; **3.** Monté sur un mauvais cheval; **4.** A cause du « mal qui fait peler » (voir sonnet 94); **5.** *Mauny :* voir Index, page 39; **6.** *Démon :* voir Répertoire, page 33 et le sonnet 72; **7.** *Beu :* bu. On continuait souvent, au XVIe siècle, d'orthographier *eu* ce qui se prononçait *u* (voir *eu*, du verbe « avoir », en français moderne). Il peut donc s'agir là d'une rime pour l'œil, ou encore d'une rime en *u* orthographiée *eu*, dans *beu* comme dans *peu*. Cependant, Ferdinand Brunot remarque que certaines provinces « prononçaient *eu* là où Paris prononçait déjà *u :* ainsi [...] en Anjou » (*Histoire de la langue française*, tome II, p. 265) : dans ce cas, on aurait une rime où la prononciation s'accorderait à l'orthographe.

## QUESTIONS

■ SUR LE SONNET 86. — Indiquez le thème de chaque quatrain et de chaque tercet. Montrez la progression.

— Relevez les mots répétés (vers 1-2, vers 13, vers 14) : montrez qu'en même temps qu'une insistance il se dégage de chaque série de répétitions une unité de vision, de sentiment, appliquée à des éléments nuancés et divers.

— L'effet produit par l'introduction des formules italiennes : montrez comment elles contribuent à confirmer l'impression qu'entend créer du Bellay.

— Comparez la construction de ce sonnet à celle du sonnet 85. Où les termes sont-ils les plus concrets? L'impression produite par l'infinitif, mode impersonnel, appliqué à des éléments descriptifs.

— Ce sonnet offre un portrait du courtisan romain. Ne peut-on y voir aussi un portrait de Du Bellay lui-même, tel qu'il se voit à Rome?

Nous sentons nos esprits nous laisser peu à peu,
Comme un corps qui se perd sous une neuve écorce?

J'ai voulu mille fois de ce lieu m'étranger*,
Mais je sens mes cheveux en feuilles se changer,
Mes bras en longs rameaux, et mes pieds en racine.

Bref, je ne suis plus rien qu'un vieil tronc animé,
Qui se plaint* de se voir à ce bord* transformé,
Comme le myrte anglais au rivage* d'Alcine[1].

90

Ne pense pas, Bouju[2], que les nymphes latines[3]
Pour[4] couvrir leur traison[5]* d'une humble privauté[6],
Ni pour masquer leur teint d'une fausse beauté,
Me fassent oublier nos nymphes angevines[7].

L'angevine douceur, les paroles divines,
L'habit qui ne tient rien de l'impudicité,
La grâce, la jeunesse et la simplicité
Me dégoûtent, Bouju, de ces vieilles Alcines[8].

Qui les voit par dehors ne peut rien voir plus beau,
Mais le dedans ressemble au dedans d'un tombeau,
Et si[9] rien entre nous moins honnête* se nomme[10].

---

**1.** *Alcine :* voir Répertoire, page 32; **2.** *Bouju :* voir Index, page 36; **3.** Les beautés, les belles femmes romaines; **4.** *Pour* a une valeur causale; **5.** *Traison :* deux syllabes (trahison); **6.** *Privauté :* familiarité; **7.** Les filles de l'Anjou; **8.** Les courtisanes; voir *Alcine* dans le Répertoire, page 32; **9.** *Et si :* et de même; **10.** Rien ne porte de nom plus déshonorant.

## QUESTIONS

■ SUR LE SONNET 87. — L'attachement de Du Bellay pour Rome tient-il uniquement à la passion évoquée ici (voir le sonnet 72)? — Analysez le développement de la métaphore (vers 7-14).

SUR LE SONNET 90.

● VERS 1-8. Par quel biais le thème du regret s'impose-t-il? Montrez sur quelle antithèse sont construits les quatrains.

● VERS 9-14. Dégagez le rapport entre le premier tercet et le premier quatrain. Qu'apporte la mise en œuvre de l'image d'Alcine? — Le ton du second tercet : précisez le rapport qu'il présente avec le second quatrain; expliquez l'image du vers 10.

O quelle gourmandise[1]! ô quelle pauvreté*!
O quelle horreur de voir leur immondicité!
C'est vraiment de les voir le salut d'un jeune homme.

94

Heureux* celui qui peut longtemps suivre la guerre
Sans mort, ou sans blessure, ou sans longue prison!
Heureux* qui longuement vit hors de sa maison
Sans dépendre[2] son bien ou sans vendre sa terre[3]!

Heureux* qui peut en cour quelque faveur* acquerre[4]
Sans crainte de l'envie* ou de quelque traison*[5]!
Heureux* qui peut longtemps sans danger de poison
Jouir d'un chapeau rouge ou des clefs de Saint-Pierre[6]!

Heureux* qui sans péril peut la mer fréquenter!
Heureux* qui sans procès le palais peut hanter!
Heureux* qui peut sans mal vivre l'âge* d'un homme!

Heureux* qui sans souci* peut garder son trésor,
Sa femme sans soupçon, et plus heureux* encor
Qui a pu sans peler[7] vivre trois ans à Rome!

---

1. *Gourmandise :* cupidité; 2. *Dépendre :* dépenser; 3. Allusion possible au procès contre Montmorency (voir Notice, page 13); 4. *Acquerre :* acquérir; 5. *Traison :* deux syllabes; 6. Etre cardinal ou pape; 7. Voir sonnet 86, vers 14.

## QUESTIONS

■ SUR LE SONNET 90. — Le dégoût de Du Bellay est-il d'ordre moral uniquement, ou aussi d'ordre esthétique (voir vers 5-8)? — Cherchez les points communs entre l'évocation des filles de l'Anjou (vers 5-8) et celle du pays d'Anjou (sonnet 19, vers 9-11). Quel aspect du tempérament de Du Bellay cela nous révèle-t-il?

SUR LE SONNET 94.

● VERS 1-11. Relevez les lieux communs cités avec une intention parodique, et montrez comment ils entraînent soit une allusion personnelle assez âpre, soit un trait satirique : analysez les différentes nuances de l'ironie. — N'y a-t-il pas, dans le vers 11, comme une ombre qui altère fugitivement le ton du poème?

● VERS 12-14. Montrez que le trait final tire sa force d'un changement de rythme dans la même construction : quel contraste s'établit entre le ton et les idées?

■ SUR L'ENSEMBLE DU SONNET 94. — Dégagez le mouvement général du sonnet : comment le parallélisme de ces « béatitudes » accentue-t-il, par contraste, les images qui traduisent les tristes réalités de la vie?

Après deux sonnets évoquant ses soucis d'argent, c'est une autre catégorie de femmes que du Bellay va décrire dans les sonnets 97 et 98 : les **possédées.** La cérémonie d'exorcisme se pratiquait assez fréquemment à Rome, et Montaigne en parle dans son *Journal de voyage*. Mais du Bellay fait peut-être ici allusion à un fait précis survenu en 1555 ou 1556 : toutes les femmes et les filles qui séjournaient alors à l'hospice des Orphelins furent en effet possédées du démon.

## 97

Doulcin[1], quand quelquefois je vois ces pauvres* filles
Qui ont le diable au corps, ou le semblent avoir,
D'une horrible façon corps et tête mouvoir
Et faire ce qu'on dit de ces vieilles Sibylles[2];

Quand je vois les plus forts se retrouver débiles[3],
Voulant forcer en vain leur forcené pouvoir;
Et quand même j'y vois perdre tout leur savoir*
Ceux[4] qui sont en votre[5] art* tenus des plus habiles;

Quand effroyablement écrier je les ois[6],
Et quand le blanc des yeux renverser je leur vois,
Tout le poil me hérisse, et ne sais plus que dire.

Mais quand je vois un moine[7] avecque son latin
Leur tâter haut et bas le ventre et le tétin,
Cette frayeur se passe, et suis contraint de rire.

---

**1.** *Doulcin :* voir Index, page 37; **2.** *Sibylle :* voir Répertoire, page 35; **3.** *Débile :* faible, sans force. Après *i*, *-l* ou *-ll* se prononçait mouillé : *filles*, *Sibylles*, *débiles*, *habiles* rimaient donc; **4.** *Ceux* est sujet de *perdre* (inversion); **5.** Doulcin était médecin; **6.** *Ouïr :* entendre; **7.** Pour la cérémonie d'exorcisme.

## QUESTIONS

■ SUR LE SONNET 97. — Le ton de la description dans les vers 1-11 ; quel effet l'anaphore produit-elle (vers 1, 5, 7, 9, 10)? Les réactions du spectateur : comment est ménagée la progression qui aboutit au vers 11? Est-ce seulement l'horreur physique qui s'empare du poète?

— Le contraste provoqué par le dernier tercet : gestes, vocabulaire, jeu de rimes. A quel registre passe-t-on?

— Sur quoi la satire porte-t-elle ici?

Phot. Giraudon.

LA SIBYLLE DE DELPHES

Peinture de Michel-Ange (1475-1564). Plafond de la chapelle Sixtine.

## 99

Quand je vais par la rue, où tant de peuple abonde,
De prêtres, de prélats, et de moines aussi,
De banquiers, d'artisans, et n'y voyant, ainsi
Qu'on voit dedans Paris, la femme vagabonde[1] :

Pyrrhe[2], après le dégât de l'universelle onde[3],
Ses pierres, dis-je alors, ne sema point ici;
Et semble proprement, à voir ce peuple-ci,
Que Dieu n'y ait formé que la moitié du monde.

Car la dame romaine[4] en gravité[5] marchant,
Comme la conseillère[6] ou femme du marchand[7]
Ne s'y promène point, et n'y voit-on que celles

Qui se sont de la cour l'honnête* nom donné[8];
Dont[9] je crains quelquefois qu'en France retourné
Autant que[10] j'en verrai ne me ressemblent[11] telles.

## 100

Ursin[12], quand j'ois[13] nommer de ces vieux noms romains,
De ces beaux noms connus de l'Inde jusqu'au More[14],
Non les grands seulement, mais les moindres encore,
Voire ceux-là qui ont les ampoules aux mains,

---

1. *Vagabond :* qui se promène; 2. *Pyrrhe :* voir Répertoire, page 35. Sur la francisation des noms latins, voir sonnet 26, note 5; 3. La destruction causée par le Déluge; 4. *Dame :* femme de bonne noblesse; 5. *En gravité :* gravement; 6. *Conseillère :* femme de la noblesse de robe ou de la bonne bourgeoisie; 7. Représente la femme du peuple, de condition aisée; 8. Les courtisanes, qui tiraient leur nom, selon Henri Estienne, de la cour de Rome; 9. *Dont :* d'où, à cause de cela; 10. *Autant que :* toutes les femmes que; 11. *Ressembler :* sembler, paraître; 12. *Ursin :* voir Index, page 40; 13. *Ouïr :* entendre; 14. Jusqu'au bout du monde (voir sonnet 27, vers 13 et la note).

### QUESTIONS

■ SUR LE SONNET 99. — Comment le premier quatrain et le premier tercet se complètent-ils pour créer, en deux images antithétiques, l'aspect caractéristique des rues de Rome, par comparaison aux rues parisiennes?

— L'image mythologique des vers 5-8 : sa valeur parodique; en quoi contribue-t-elle à l'élargissement de l'idée et à l'approfondissement de la satire?

— Le sentiment du poète : quel regret transparaît à travers les onze premiers vers? La conclusion (vers 13-14) n'est-elle pas cependant inattendue? Quelle amertume s'y glisse?

Il me fâche* d'ouïr appeler ces vilains
De ces noms tant fameux, que tout le monde honore;
Et sans le nom Chrétien, le seul nom que j'adore[1],
Voudrais que de tels noms on appelât nos saints[2].

Le mien surtout me fâche*, et me fâche* un Guillaume,
Et mille autres sots noms communs en ce royaume[3],
Voyant tant de faquins indignement jouir

De ces beaux noms de Rome et de ceux de la Grèce;
Mais par sur tout[4], Ursin, il me fâche d'ouïr
Nommer une Thaïs[5] du nom d'une Lucrèce[6].

---

Après les images de la ville, voici les mœurs de la **cour pontificale.**

101

Que dirons-nous, Melin[7], de cette cour romaine
Où nous voyons chacun divers chemins tenir[8],
Et aux plus hauts honneurs* les moindres parvenir
Par vice*, par vertu*, par travail* et sans peine?

L'un fait pour s'avancer[9] une dépense vaine,
L'autre par ce moyen se voit grand devenir,
L'un par sévérité se sait entretenir[10],
L'autre gagne les cœurs par sa douceur humaine;

1. *J'adore :* au sens religieux du verbe; 2. D'après Henri Weber, « Du Bellay semble souhaiter que les saints portent de vieux noms romains, seul le prénom de *Chrétien* est digne de respect »; 3. Rapprocher de Montaigne : « Chaque nation a quelques noms qui se prennent, je ne sais comment, en mauvaise part : et à nous Jean, Guillaume, Benoît » (*Essais*, I, XLVI); 4. Par-dessus tout; 5. *Thaïs :* voir Index, page 40; 6. *Lucrèce :* voir Index, page 38; une courtisane célèbre se nommait Lucrezia Portia; 7. *Melin* (ou Mellin) de Saint-Gelais : voir Index, page 39; 8. Adopter diverses façons d'agir; 9. *S'avancer :* parvenir, réussir; 10. Sait assurer sa réussite.

## QUESTIONS

■ Sur le sonnet 100. — Relevez les termes par lesquels du Bellay désigne les gens du peuple. Quel sentiment cela révèle-t-il?

— En quoi cette question de prénoms révèle-t-elle l'humaniste? Montrez comment la remarque du vers 14, par sa signification profonde, se rattache indirectement à d'autres traits lancés contre les prostituées romaines (voir notamment le sonnet 90).

L'un pour[1] ne s'avancer se voit être avancé,
L'autre pour s'avancer se voit désavancé,
Et ce qui nuit à l'un à l'autre est profitable;

Qui[2] dit que le savoir* est le chemin d'honneur*,
Qui dit que l'ignorance attire le bonheur* :
Lequel des deux, Melin, est le plus véritable[3]?

## 102

On ne fait de tout bois l'image de Mercure[4],
Dit le proverbe vieil : mais nous voyons ici
De tout bois faire pape, et cardinaux aussi,
Et vêtir en trois jours tout une autre figure.

Les princes et les rois viennent grands de nature :
Aussi de leurs grandeurs n'ont-ils tant de souci*
Comme ces dieux nouveaux, qui n'ont que le sourci[5]
Pour faire révérer leur grandeur, qui peu dure.

---

**1.** *Pour* a une valeur causale; **2.** *Qui ... qui...* : l'un ... l'autre...; **3.** Dit le plus vrai; **4.** Proverbe antique cité dans les *Adages* d'Érasme et déjà repris par Rabelais; **5.** *Sourci :* voir sonnet 86, vers 1 et la note.

## QUESTIONS

■ SUR LE SONNET 101. — Analysez le jeu des antithèses tout au long de ce sonnet : leur distribution, leurs parallélismes et leurs dissymétries. Quel thème, annoncé dès le vers 2, se développe par oppositions successives?

— L'emploi de l'interrogation aux vers 1 et 14 : de quelle nature est la perplexité du poète? — Sur quel aspect de la cour pontificale du Bellay met-il l'accent? Comparez ce sonnet au sonnet 78. Ne pourrait-on pas dire qu'il s'agit d'un lieu commun sur la confusion des valeurs spirituelles, intellectuelles et morales?

— N'y a-t-il pas quelque ironie à adresser ce sonnet à Melin de Saint-Gelais? Pourquoi?

SUR LE SONNET 102.

● VERS 1-4. Expliquez le sens du proverbe cité au vers 1. Érasme, dans les *Adages*, interprétait ce proverbe comme une règle de conduite intellectuelle; Rabelais, dans le *Quart Livre* (chapitre LXII), y voyait la règle d'un comportement religieux : à quel point de vue du Bellay se place-t-il en le reprenant ici?

● VERS 5-8. A quelle tare du Bellay s'en prend-il chez les puissants de Rome? — Comparez le comportement décrit dans les vers 5-8 avec les préoccupations évoquées dans les vers 5-11 du sonnet 101.

Paschal[1], j'ai vu celui qui naguère traînait
Toute Rome après lui, quand il se promenait,
Avecques trois valets cheminer par la rue[2];

Et traîner après lui un long orgueil[3] romain
Celui de qui le père a l'ampoule en la main
Et, l'aiguillon au poing, se courbe à la charrue[4].

---

Après une attaque acerbe contre le cardinal Carafa (voir Index, page 36) dans le sonnet 103, c'est au **pape Jules III,** mort récemment, que du Bellay s'en prend dans les sonnets suivants.

104

Si fruits, raisins et blés, et autres telles choses
Ont leur tronc, et leur cep, et leur semence aussi[5],
Et s'on[6] voit au retour du printemps adouci
Naître de toutes parts violettes[7] et roses,

Ni fruits, raisins, ni blés, ni fleurettes décloses
Sortiront, Viateur[8], du corps qui gît ici :
Aulx, oignons, et porreaux[9], et ce qui fleure ainsi,
Auront ici-dessous leurs semences encloses.

---

**1.** *Paschal :* voir Index, page 39; **2.** Celui qui naguère traînait toute Rome après lui quand il se promenait, je l'ai vu cheminer avec trois valets; **3.** *Orgueil :* suite fastueuse; **4.** Celui dont le père a l'ampoule à la main et, l'aiguillon au poing, se courbe sur la charrue, [je l'ai vu] traîner après lui un long orgueil romain. — Cet homme aux mains calleuses (voir aussi sonnet 100, vers 4) est évidemment un paysan parvenu; mais on ne sait si le poète fait ici allusion à une personnalité précise, ou émet seulement une vérité générale; **5.** Procédé du sonnet *rapporté* en faveur chez les pétrarquistes : les trois noms du premier vers se rapportent respectivement aux trois noms du second vers; **6.** *S'on :* si on; **7.** *Violettes :* quatre syllabes; **8.** *Viateur :* passant (trois syllabes); **9.** Ancienne forme encore employée par La Fontaine, et aujourd'hui toujours en usage dans certains parlers provinciaux.

## QUESTIONS

● VERS 9-14. Montrez comment la dissymétrie des deux tercets dans la construction et dans le rythme renforce le contraste entre les deux situations évoquées.

■ SUR L'ENSEMBLE DU SONNET 102. — Le mépris du gentilhomme pour la relative démocratie des promotions ecclésiastiques; la critique du « parvenu »; le thème de la Fortune. En quoi ces trois inspirations concourent-elles à l'expression d'une même idée?

Toi donc, qui de l'encens et du baume n'as point,
Si du grand Jules Tiers[1] quelque regret* te point,
Parfume son tombeau de telle odeur choisie,

Puisque son corps, qui fut jadis égal aux dieux,
Se soulait paître[2] ici de tels mets précieux,
Comme au ciel Jupiter[3] se paît de l'ambroisie[4].

105

De voir mignon* du Roi un courtisan* honnête*,
Voir un pauvre* cadet l'ordre au col soutenir[5],
Un petit compagnon aux états parvenir[6],
Ce n'est chose, Morel[7], digne d'en faire fête.

Mais voir un estafier[8], un enfant, une bête,
Un forfant[9], un poltron[10] cardinal devenir,
Et pour avoir bien su un singe entretenir
Un Ganymède[11] avoir le rouge sur la tête[12];

S'être vu par les mains d'un soldat espagnol
Bien haut sur une échelle avoir la corde au col
Celui que par le nom de Saint-Père l'on nomme[13];

---

**1.** Jules III. Voir Index, page 38; **2.** Avait coutume de se nourrir; **3.** *Jupiter :* voir Répertoire, page 33; **4.** *Ambroisie :* nourriture des dieux olympiens; **5.** Porter le collier de Saint-Michel. Il s'agit de l'ordre de Saint-Michel, fondé par Louis XI, et dont Henri II fut prodigue; **6.** *Var. :* Un petit compagnon grand seigneur devenir (dans un manuscrit du XVIIe siècle); **7.** *Morel :* voir Index, page 39; **8.** *Estafier :* laquais, maraud; **9.** *Forfant :* coquin; **10.** *Poltron :* paresseux et veule; **11.** *Ganymède :* voir Répertoire, page 33; **12.** « Il s'agit d'Innocent del Monte, ce jeune homme de naissance obscure et de mœurs suspectes, que Jules III, aussitôt pape, avait, à dix-sept ans, revêtu de la pourpre. Il n'avait pas d'autre mérite que de bien jouer avec un singe : d'où le surnom plaisant de « cardinal Simia », dont l'avait doté le peuple de Rome » (Note d'Henri Chamard); **13.** Que [ le pape] se voit vu mettre la corde au cou par les mains d'un soldat, espagnol... — Lors du sac de Rome en 1527, le futur Jules III, préfet de Rome, s'était livré comme otage à la place du pape Clément VII, menacé de la potence par les troupes impériales.

## QUESTIONS

■ Sur le sonnet 104. — Le ton et les images du premier quatrain : dans quel genre de poésie semble-t-on s'engager? Comment s'accumulent les contrastes aux vers 5-8?

— L'ironie des deux tercets : quelle allégresse féroce transparaît à travers une apparente déférence? Montrez que l'allusion mythologique (vers 14) accentue la dérision.

— Pourquoi ce sonnet peut-il être qualifié d'*épitaphe burlesque?*

Un bélître en trois jours aux princes s'égaler
Et puis le voir de là en trois jours dévaler[1] :
Ces miracles, Morel, ne se font point, qu'à Rome[2].

C'est encore aux mœurs dissolues de Jules III que s'en prend le sonnet 106, suivi d'une pause où du Bellay, une fois de plus, contemple la ville.

107

Où que je tourne l'œil, soit vers le Capitole[3],
Vers les bains d'Antonin[4] ou Dioclétien[5],
Et si quelque œuvre encor dure plus ancien[6]
De la porte Saint-Paul[7] jusques à Ponte-Mole[8],

Je déteste à part moi ce vieil Faucheur, qui vole[9],
Et le ciel qui ce tout a réduit en un rien;
Puis songeant que chacun peut répéter le sien[10],
Je me blâme, et connais que ma complainte* est folle.

Aussi serait celui par trop audacieux
Qui voudrait accuser ou le temps* ou les cieux,
Pour[11] voir une médaille ou colonne brisée.

Et qui sait si les cieux referont point leur tour,
Puisque tant de seigneurs nous voyons chacun jour
Bâtir sur la Rotonde[12] et sur le Colisée[13]?

1. *Dévaler :* s'effondrer. Allusion à un fait non élucidé; 2. Sinon à Rome; 3. *Capitole :* citadelle de la Rome ancienne; 4. Ce sont aujourd'hui les *thermes de Caracalla*, au sud-est de la ville; 5. Dans la partie nord-est de Rome. Prononcer *Dioclétien* en cinq syllabes; 6. *Œuvre* est toujours masculin chez du Bellay; 7. Au sud de Rome; 8. Au nord de Rome; 9. Représentation traditionnelle et symbolique du temps; 10. Peut revendiquer son droit; 11. *Pour :* valeur causale; 12. *Rotonde :* l'ancien Panthéon païen, transformé en église; 13. Les pierres du Colisée étaient utilisées pour construire d'autres édifices; il en fut ainsi jusqu'au XVII^e siècle.

## QUESTIONS

■ SUR LE SONNET 105. — Le rythme du sonnet : comment l'indignation se traduit-elle? L'effet de la chute finale (vers 14). — La virulence de l'attaque : le poète respecte-t-il encore ici les limites qu'il avait fixées à la satire au sonnet 62?

■ SUR LE SONNET 107. — Quelle différence y a-t-il entre cette contemplation de Rome et les images du sonnet 80?
— Quelle volonté de ressaisissement expriment les vers 7-8? Précisez l'intérêt qu'il y a à voir du Bellay déclarer chimérique la nostalgie du passé (si l'on songe aux *Antiquités de Rome*, aussi bien qu'aux *Regrets*)?
— L'intention satirique des deux derniers vers : est-ce la résignation ou l'indignation qui domine?

Prolongeant la réflexion du sonnet précédent, c'est à nouveau le contraste entre la **grandeur du passé** et la **déchéance du présent,** mais traité cette fois avec une ironie et une âpreté qu'enrichit l'exploitation d'un mythe.

108

Je fus jadis Hercule[1], or[2] Pasquin[3] je me nomme,
Pasquin fable du peuple, et qui fais toutefois
Le même office encor que j'ai fait autrefois,
Vu qu'ores par mes vers* tant de monstres j'assomme[4].

Aussi mon vrai métier, c'est de n'épargner homme,
Mais les vices* chanter* d'une publique voix :
Et si[5] ne puis encor, quelque fort que je sois,
Surmonter la fureur de cette Hydre[6] de Rome.

J'ai porté sur mon col le grand palais des dieux
Pour soulager Atlas[7], qui sous le faix des cieux
Courbait las et recru sa grande échine large.

Ores au lieu du ciel, je porte sur mon dos
Un gros moine espagnol[8], qui me froisse les os,
Et me pèse trop plus[9] que ma première charge.

---

1. *Hercule :* voir Répertoire, page 33; 2. *Or :* maintenant; 3. *Pasquin :* statue antique en laquelle on croyait reconnaître une statue d'Hercule et qu'on couvrait, au XVIe siècle, sous le nom de Pasquin, de placards satiriques. Voir le sonnet 42, vers 8 ; 4. Allusion aux travaux d'Hercule ; 5. *Si :* pourtant ; 6. Hercule avait vaincu l'hydre de Lerne (voir Répertoire, page 33); 7. *Atlas :* voir Répertoire, page 32; 8. Allusion, mal élucidée, visant probablement quelque cardinal ou quelque général d'ordre religieux; 9. *Trop plus :* bien plus.

## QUESTIONS

SUR LE SONNET 108.

● VERS 1-8. Analysez les procédés destinés à donner toute son intensité à l'antithèse que va développer le sonnet. Dans les trois vers suivants, indiquez comment la similitude établie entre le passé et le présent souligne en fait le contraste. Commentez aussi, de ce point de vue, le jeu de mots du vers 8 (voir note 6).

● VERS 9-14. Montrez que les tercets reprennent l'idée et l'image du premier quatrain : quelle précision et quelle signification accrues leur apportent-ils?

■ SUR L'ENSEMBLE DU SONNET 108. — S'agit-il encore d'une comparaison entre la Rome antique et la Rome actuelle? Montrez que, malgré la précision des images, la portée du contraste s'est amplifiée.

— Comment du Bellay justifie-t-il sa propre entreprise de satire *publique* (vers 6)?

« Et c'est l'étonnant, l'hugolien sonnet où **Marcel II,** le pape trop pur, meurt étouffé soudain par l'odeur du cloaque immonde » (V. L. Saulnier).

109

Comme un qui veut curer quelque cloaque immonde,
S'il n'a le nez armé d'une contre senteur,
Étouffé bien souvent de la grand'puanteur
Demeure enseveli dans l'ordure profonde,

Ainsi le bon Marcel[1] ayant levé la bonde
Pour laisser écouler la fangeuse épaisseur
Des vices* entassés, dont son prédécesseur[2]
Avait six ans devant[3] empoisonné le monde,

Se trouvant le pauvret* de telle odeur surpris
Tomba mort au milieu de son œuvre entrepris[4],
N'ayant pas à demi cette ordure purgée.

Mais quiconque rendra tel ouvrage parfait,
Se pourra bien vanter d'avoir beaucoup plus fait
Que celui[5] qui purgea les étables d'Augée[6].

Après Jules III et Marcel II, le sonnet 110 évoque le **pape Paul IV,** qui apparaît encore dans le sonnet suivant. On y saisira en outre l'écho du fait qui, après l'**abdication de Charles Quint,** acheva de stupéfier l'Europe : la retraite de l'empereur dans un monastère espagnol en février 1557.

---

1. *Marcel II :* voir Index, page 38; 2. *Jules III :* voir Index, page 38; 3. Depuis six ans; 4. *Œuvre* est ici masculin; voir sonnet 107, vers 3; 5. Hercule (voir Répertoire, page 33); 6. Augias (voir Répertoire, page 32). Sur la francisation des noms propres, voir sonnet 26, note 5.

## QUESTIONS

■ SUR L'ENSEMBLE DU SONNET 109. — Relevez les termes qui se rapportent à la corruption romaine : caractérisez le vocabulaire auquel ils appartiennent; commentez-en la valeur expressive et la valeur symbolique.

— Dans les vers 1, 5, 9, 10, par quels effets l'évocation du pape Marcel réussit-elle à détacher la figure de celui-ci?

— Montrez que le thème du poème est ici encore l'espoir déçu : pourquoi la tonalité en est-elle satirique plutôt qu'élégiaque?

— Rapprochez ce sonnet du sonnet 104.

## 111

Je n'ai jamais pensé que cette voûte ronde[1]
Couvrît rien de constant; mais je veux désormais,
Je veux, mon cher Morel[2], croire plus que jamais
Que dessous ce grand Tout rien ferme ne se fonde,

Puisque celui[3] qui fut de la terre et de l'onde
Le tonnerre et l'effroi, las de porter le faix,
Veut d'un cloître borner la grandeur de ses faits
Et pour servir à Dieu abandonner le monde.

Mais quoi? que dirons-nous de cet autre vieillard[4],
Lequel ayant passé son âge* plus[5] gaillard
Au service* de Dieu, ores[6] César imite?[7]

Je ne sais qui des deux est le moins avisé;
Mais je pense, Morel, qu'il est fort malaisé
Que l'un soit bon guerrier, ni l'autre bon ermite.

## 112

Quand je vois ces seigneurs qui l'épée et la lance
Ont laissé pour vêtir ce saint orgueil romain[8],
Et ceux-là qui ont pris le bâton[9] en la main
Sans avoir jamais fait preuve de leur vaillance;

---

**1.** Le ciel; **2.** *Morel :* voir Index, page 39; **3.** Charles Quint (voir Index, page 36); **4.** Paul IV, élu pape à soixante dix-neuf ans (voir Index, page 40); **5.** *Plus :* le plus; **6.** *Ores :* maintenant; **7.** Paul IV ne tolérait guère d'opposition; son gouvernement fut autoritaire et sa politique belliqueuse; **8.** Les hautes dignités ecclésiastiques récompensaient fréquemment des services qui n'avaient rien à voir avec la religion; **9.** *Bâton :* signe du commandement.

### QUESTIONS

■ Sur le sonnet 111. — Pourquoi du Bellay a-t-il recours à un lieu commun dans le premier quatrain pour introduire une réflexion sur l'actualité? Quel ton ce procédé confère-t-il à l'ensemble du sonnet?

— Montrez comment le poète exprime (vers 5-8) la stupéfaction qui saisit l'Europe devant la décision de Charles Quint (rejet du vers 6, inversion du vers 7, rimes des vers 5 et 8, ampleur et redondance des vers 5 et 6, valeur et progression des verbes dans les vers 7 et 8).

— La différence de ton aux vers 9-11 : quel effet est produit par la brièveté des termes désignant le pape, sa décision?

— Du Bellay est-il convaincu par ces « conversions » (vers 12-14)? Ne peut-on penser que ce scepticisme exprime le désaccord d'un aristocrate pour qui l'ordre du monde est fixé une fois pour toutes? Ou n'est-ce qu'un lieu commun de morale?

Quand je les vois, Ursin[1], si chiches d'audience,
Que souvent par quatre huis on la mendie en vain,
Et quand je vois l'orgueil d'un camérier hautain,
Lequel ferait à Job[2] perdre la patience,

Il me souvient alors de ces lieux enchantés
Qui sont en *Amadis*[3] et *Palmerin*[4] chantés*,
Desquels l'entrée était si chèrement vendue.

Puis je dis : O combien le palais que je vois
Me semble différent du palais de mon Roi
Où l'on ne trouve point de chambre défendue[5]!

## 113

Avoir vu dévaler[6] une triple Montagne[7],
Apparoir[8] une Biche[9] et disparoir[10] soudain,
Et dessus le tombeau d'un empereur romain[11]
Une vieille Carafe[12] élever pour enseigne;

Ne voir qu'entrer soldats[13] et partir en campagne,
Emprisonner seigneurs pour un crime incertain[14],

---

1. *Ursin :* voir Index, page 40; 2. *Job :* voir Répertoire, page 33; 3. *Amadis :* voir Répertoire, page 32; 4. *Palmerin :* voir Répertoire, page 34; 5. Il est vrai que les palais des rois de France étaient ouverts au public, à plus forte raison aux courtisans et aux gentilshommes; 6. *Dévaler :* s'effondrer; 7. Le pape Jules III (voir Index, page 38), de son nom « del Monte », d'où l'emblème. Il était mort au début de 1555; 8. *Apparoir :* apparaître; 9. Marcel II (voir Index, page 38), de son nom « Cervini ». Calembour en même temps que symbole de pureté dans le choix de l'emblème (voir sonnet 109); 10. *Disparoir :* disparaître. Le pape Marcel II n'avait régné que trois semaines (9 avril-1er mai 1555); 11. Le château Saint-Ange, ancien mausolée d'Adrien (voir Index, page 36); 12. Paul IV, de la famille des Carafa, devenu pape à un âge avancé; 13. *Soldats* est sujet des deux verbes du vers; 14. Paul IV fit emprisonner cardinaux et seigneurs suspects de sympathie pour l'Empire.

## QUESTIONS

SUR LE SONNET 112.

● VERS 1-8 Le thème satirique du premier quatrain : comment se rattache-t-il au sonnet 111? — L'image des vers 5-8 est-elle une illustration directe de l'idée exprimée aux vers 1-4? Quel lien purement formel assure la transition?

● VERS 9-14. Le contraste entre les deux tercets : ironie et sincérité.

■ SUR L'ENSEMBLE DU SONNET 112. — La diversité des images nuit-elle à l'unité du poème? Comment s'harmonisent ici satire et regret?

Retourner *forussiz*[1], et le Napolitain[2]
Commander en son rang[3] à l'orgueil de l'Espagne;

Force nouveaux seigneurs, dont les plus apparents
Sont de Sa Sainteté les plus proches parents[4],
Et force cardinaux qu'à grand peine l'on nomme;

Force braves chevaux, et force hauts collets[5],
Et force favoris* qui n'étaient que valets :
Voilà, mon cher Dagaut[6], des nouvelles de Rome.

Du Bellay a déjà fait maintes allusions aux événements, aux faits divers ou à l'agitation politique et militaire. C'est à cette **actualité** que va être plus précisément consacrée la série de sonnets qui suit. Et d'abord, à la **guerre.**

114

O trois et quatre fois malheureuse* la terre
Dont le prince ne voit que par les yeux d'autrui,
N'entend que par ceux-là qui répondent pour lui,
Aveugle, sourd et mut[7] plus que n'est une pierre!

Tels sont ceux-là, Seigneur, qu'aujourd'hui l'on resserre
Oisifs dedans leur chambre, ainsi qu'en un étui,
Pour durer plus longtemps et ne sentir l'ennui*
Que sent leur pauvre* peuple accablé de la guerre.

1. *Forussiz :* voir sonnet 80, vers 7 et la note; 2. Paul IV était Napolitain : or, Naples était une possession espagnole, d'où le paradoxe de la situation qu'évoquent les vers 7 et 8; 3. *En son rang :* conformément à son rang; 4. Allusion au népotisme des papes, et en particulier de Paul IV, qui combla de faveurs ses trois neveux; 5. Portés par les hommes de condition; 6. Personnage non identifié. *Var. :* « Voilà, mon bon Seigneur », dans un manuscrit du XVIe siècle; 7. *Mut :* muet.

## QUESTIONS

■ SUR LE SONNET 113. — A quel aspect de Rome se rapporte l'évocation des vers 1-4? Précisez l'effet de cette représentation emblématique, fondée sur la francisation des noms étrangers.

— Les procédés qui permettent de faire défiler une succession d'images (vers 1, 5 et 9, 11, 12, 13) : quelle impression en résulte?

— Quels thèmes déjà exploités dans les sonnets précédents se trouvent condensés ici? Précisez les différents motifs qui font de Rome une ville paradoxale.

Ils se paissent[1] enfants de trompes et canons,
De fifres, de tambours, d'enseignes[2], gonfanons[3],
Et de voir leur province aux ennemis en proie.

Tel était cestui-là[4], qui du haut d'une tour,
Regardant ondoyer la flamme tout autour[5],
Pour se donner plaisir chantait* le feu de Troie[6].

## 116

Fuyons, Dilliers[7], fuyons cette cruelle terre,
Fuyons ce bord* avare[8]* et ce peuple inhumain,
Que des dieux irrités la vengeresse main
Ne nous accable encor sous un même tonnerre.

Mars[9] est désenchaîné, le temple de la guerre[10]
Est ouvert à ce coup, le grand prêtre romain[11]
Veut foudroyer là-bas l'hérétique Germain
Et l'Espagnol[12] marran[13], ennemis de Saint-Pierre.

On ne voit que soldats, enseignes, gonfanons,
On n'oit[14] que tambourins[15], trompettes et canons,
On ne voit que chevaux courant parmi la plaine;

---

**1.** Ils se nourrissent; **2.** *Enseigne :* drapeau taillé en pointe, dont l'étoffe était fixée à la hampe de la lance, immédiatement sur le fer; **3.** *Gonfanon :* étendard de l'Église à trois ou quatre fanons, ou pièces pendantes; **4.** Néron (voir Index, page 39); **5.** L'incendie de Rome; **6.** *Troie :* voir Répertoire, page 35. Contemplant l'incendie de Rome, Néron déclamait, dit-on, un poème sur l'incendie de Troie; **7.** *Dilliers :* voir Index, page 37; **8.** Souvenir de Virgile : « Ah! fuis cette cruelle terre, fuis ce rivage avide » (*l'Enéide*, III, 44); **9.** *Mars :* voir Répertoire, page 34; **10.** Le temple de Janus (voir ce nom dans le Répertoire, page 33); **11.** Le pape; **12.** Allemands (souvent luthériens) et Espagnols composaient les troupes impériales, alors que Paul IV s'était allié à la France; **13.** *Marran :* noté par Littré sous la forme plus fréquente *marrane* comme le « nom donné par les Espagnols aux Arabes et aux Juifs convertis, et devenu une injure signifiant « traître », « perfide ». De là, l'épithète est fréquemment appliquée aux Espagnols eux-mêmes, avec un sens péjoratif; **14.** *Ouïr :* entendre; **15.** *Tambourin :* voir sonnet 83, vers 13 et la note.

## QUESTIONS

■ SUR LE SONNET 114. — L'idéal du bon souverain d'après ce sonnet : commentez, dans les vers 3-6, tous les termes qui critiquent les erreurs et les défauts du mauvais prince. Comment du Bellay rejoint-il ici les idées exprimées par d'autres humanistes, et notamment par Rabelais dans les chapitres de *Gargantua* relatifs à la guerre picrocholine? Qu'ajoute l'image du dernier tercet?

— Du Bellay juge-t-il les événements en moraliste, en politique ou en historien? La portée du poème : pourquoi ce sonnet a-t-il sa place dans *les Regrets?*

On n'oit plus raisonner[1] que de sang et de feu[2],
Maintenant on verra, si jamais on l'a veu[3],
Comment se sauvera la nacelle[4] romaine.

Après le sonnet 117, assez obscur, qui semble se rapporter à l'épuisement de l'inspiration poétique, du Bellay évoque une incertitude caractéristique de la vie romaine : **le système électif du gouvernement pontifical.** La mort du pape, en effet, remet en cause les situations acquises, et l'inquiétude s'accroît avec l'âge du souverain pontife. Or, Paul IV avait soixante dix-neuf ans quand il devint pape.

118

Quand je vois ces Messieurs, desquels l'autorité
Se voit ores[5] ici commander en son rang[6],
D'un front audacieux cheminer flanc à flanc,
Il me semble de voir quelque divinité.

Mais les voyant pâlir lorsque Sa Sainteté
Crache dans un bassin, et d'un visage blanc
Cautement épier s'il y a point de sang[7],
Puis d'un petit souris feindre* une sûreté[8],

O combien, dis-je alors, la grandeur que je voi[9]
Est misérable au prix de la grandeur d'un roi!
Malheureux* qui si cher achète tel honneur*.

1. *Raisonner :* discourir; 2. Allusion à la panique de Rome : voir sonnet 83, vers 14 et la note; 3. *Veu :* vu. Voir sonnet 87, vers 6 et la note; 4. *Nacelle :* vaisseau; 5. *Ores :* maintenant; 6. Ces Messieurs dont l'autorité s'exerce avec toute la puissance correspondant à leur rang; 7. Adroitement guetter s'il n'y a point de sang. — *Épier :* trois syllabes; 8. Puis, par un petit sourire, affecter l'assurance; 9. *Voi :* orthographe encore normale à l'époque et conforme à l'étymologie.

## QUESTIONS

■ SUR LE SONNET 116. — Comment se traduisent les horreurs de la guerre? Les images de ton épique et les visions concrètes s'accordent-elles bien entre elles?

— Le sentiment du poète en face de cette situation : rapprochez les deux vers 13-14 du premier quatrain.

SUR LE SONNET 118.

● VERS 1-8. Montrez comment l'antithèse entre les deux quatrains s'exprime non seulement dans l'image évoquée par chaque tableau, mais aussi dans le vocabulaire (abstrait, concret, noble, prosaïque, etc.), dans le rythme (ample ou rapide) et dans les jeux suggestifs des rimes. — Les qualités de l'imagination visuelle chez du Bellay.

Vraiment le fer meurtrier[1] et le rocher[2] aussi
Pendent bien sur le chef de ces seigneurs ici,
Puisque d'un vieil filet[3] dépend tout leur bonheur*.

## 119

Brusquet[4] à son retour vous racontera, Sire,
De ces rouges prélats la pompeuse apparence,
Leurs mules, leurs habits, leur longue révérence,
Qui se peut beaucoup mieux représenter que dire.

Il vous racontera, s'il les sait bien décrire,
Les mœurs de cette cour, et quelle différence
Se voit de ces grandeurs à la grandeur de France,
Et mille autres bons points, qui sont dignes de rire.

Il vous peindra la forme et l'habit du Saint-Père
Qui, comme Jupiter, tout le monde tempère
Avecques un clin d'œil[5] : sa faconde et sa grâce,

L'honnêteté* des siens, leur grandeur et largesse,
Les présents qu'on lui fait, et de quelle caresse
Tout ce qui se dit vôtre à Rome l'on embrasse[6].

---

**1.** C'est l'épée de Damoclès (voir Index, page 37). — *Meurtrier :* deux syllabes; **2.** Allusion au châtiment des Lapithes (voir Répertoire, page 34); **3.** A la fois le fil qui retient l'épée de Damoclès, le fil qui retient la vie du pape entre les doigts de la Parque, et, peut-être aussi, le filet de sang (vers 7) qu'on guette? **4.** *Brusquet :* voir Index, page 36; **5.** Souvenir d'Horace (*Odes*, III, I, 6-8); **6.** Le pape avait signé avec Henri II un traité d'alliance (voir Notice, page 12).

### QUESTIONS

● VERS 9-14. Quelle idée chère à du Bellay reparaît au vers 10? — Expliquez le vers 11 : comparez avec le sonnet 112. — Par quel procédé du Bellay achève-t-il l'expression de sa pensée? Comment s'exprime la dérision? — Commentez le contraste de ton entre les deux tercets.

■ SUR L'ENSEMBLE DU SONNET 118. — Dégagez les correspondances des quatrains aux tercets. Quel est le mouvement général du sonnet?
— La force satirique de ce poème.

■ SUR LE SONNET 119. — Classez les procédés d'expression satiriques : restrictions, antiphrases, emphase, etc. Montrez que c'est par le ton et le style que ce poème diffère surtout des autres : en quoi la personnalité du destinataire peut-elle expliquer cette différence? Pourquoi aussi le choix d'un tel messager?
— Rapprochez le vers 7 des vers 9-10 du sonnet 118, et des vers 12-14 du sonnet 112. Le vers 14 ne risque-t-il pas de perdre de son efficacité après le tableau de Rome qui vient d'être fait? Comment du Bellay concilie-t-il l'indépendance d'esprit avec les devoirs du courtisan?

Mais Rome se distrait parfois des inquiétudes. Du Bellay assiste et participe aux **fêtes du carnaval** romain, en songeant au rigueurs du Carême qui suivra.

## 120

Voici le Carnaval, menons chacun la sienne[1],
Allons baller[2] en masque, allons nous promener,
Allons voir Marc-Antoine[3] ou Zanni[4] bouffonner
Avec son Magnifique[5] à la vénitienne;

Voyons courir le pal[6] à la mode ancienne,
Et voyons par le nez le sot buffle mener;
Voyons le fier taureau d'armes environner
Et voyons au combat l'adresse italienne[7];

Voyons d'œufs parfumés un orage grêler
Et la fusée ardent' siffler menu[8] par l'aer[9]
Sus donc, dépêchons-nous, voici la pardonnance[10];

Il nous faudra demain[11] visiter les saints lieux,
Là nous ferons l'amour, mais ce sera des yeux,
Car passer plus avant, c'est contre l'ordonnance[12].

---

**1.** Allons par couples; **2.** *Baller :* danser; **3.** *Marc-Antoine :* surnom fort en usage parmi les comédiens du XVIe siècle; probablement un type de comédie ou un acteur; **4.** *Zanni :* bouffon de la *commedia dell'arte ;* **5.** *Magnifique :* masque de la comédie, d'origine vénitienne; **6.** Il s'agit de courses entre enfants, vieillards, animaux chassés et aiguillonnés, dans les rues de Rome. Ces courses sont récompensées par un prix : *il palo* (le pal), pièces de velours ou de drap. Montaigne les décrit dans son *Journal de voyage* (1581); **7.** *Italienne :* cinq syllabes. En même temps que le pal, divertissement populaire, se déroulent des combats entre gentilshommes, qui, « en certain endroit de la rue où les dames ont plus de vue, courent sur des beaux chevaux la quintaine, et y ont bonne grâce » (Montaigne, *Journal de voyage*). La *quintaine*, dans laquelle les gentilshommes s'efforcent de frapper un mannequin, est un jeu médiéval encore en usage, on le voit, au XVIe siècle; **8.** Emploi de l'adjectif comme adverbe, conforme aux préceptes de la *Défense et illustration* (livre II, chapitre IX). La fusée en feu déchire l'air avec un son aigu; **9.** Rime normande (voir sonnet 59, note 9); **10.** La distribution des pardons ou indulgences, que l'on gagne en visitant certaines églises où l'on fait une prière rituelle en versant une aumône; **11.** Le lendemain du mardi gras, c'est-à-dire le mercredi des Cendres; **12.** Paul IV avait tenté de rendre moins dissipée la vie romaine.

## QUESTIONS

■ SUR LE SONNET 120. — Étudiez les procédés de style qui permettent d'énumérer la succession des réjouissances lors du carnaval, et aussi de créer la couleur locale.

— Du Bellay nous a-t-il habitués à cette atmosphère d'insouciance? Est-elle rompue par les vers 12-14? Montrez qu'il s'agit plutôt d'humour que de satire, dans ces derniers vers.

Phot. Larousse.

Allons voir Marc-Antoine ou Zanni bouffonner...
(Sonnet 120, page 130.)

Personnages de la Comédie italienne : Zanni et la Courtisane.

Phot. Larousse.

Comédiens et charlatans sur la place Saint-Marc, à Venise.
Gravure de Giacomo Franco (1550-1620).

## 122

Cependant qu'au Palais[1] de procès tu devises,
D'avocats, procureurs[2], présidents, conseillers,
D'ordonnances, d'arrêts, de nouveaux officiers[3],
De juges corrompus, et de telles surprises,

5 Nous devisons ici de quelques villes prises,
De nouvelles de banque et de nouveaux courriers,
De nouveaux cardinaux, de mules, d'estafiers[4],
De chapes[5], de rochets[6], de masses[7] et valises[8];

Et ores[9], Sibilet[10], que je t'écris ceci,
10 Nous parlons de taureaux[11] et de buffles aussi,
De masques, de banquets et de telles dépenses;

Demain nous parlerons d'aller aux stations[12],
De motu-proprio[13], de réformations[14],
D'ordonnances, de brefs[15], de bulles[16] et dispenses[17].

---

1. Le Palais de justice, à Paris; 2. *Procureur* : avoué; 3. L'officier est le fonction-naire qui achète son *office*, sa charge; 4. *Estafier* : homme de l'escorte armée qui accompagnait les cardinaux; 5. *Chape* : grand manteau qui s'agrafe par-devant, porté par les cardinaux; 6. *Rochet* : surplis orné de dentelles porté par les dignitaires ecclésiastiques; 7. *Masse* : bâton à tête d'or ou d'argent, porté dans certaines céré-monies devant certains dignitaires; 8. *Valise* : sac transportant le courrier, et, par suite, courrier; 9. *Ores* : maintenant; 10. *Sibilet* : voir Index, page 40; 11. Allusion aux courses de taureaux au moment du carnaval; 12. *Station* (trois syllabes) : visite des églises désignées pour y obtenir des indulgences (voir sonnet 120, vers 11-12); 13. *Motu-proprio* (cinq syllabes) : arrêté pris par le pape « de son propre mouve-ment »; 14. *Réformations* : cinq syllabes; 15. *Bref* : lettre pastorale du pape; 16. *Bulle* : décret du pape; 17. *Dispense* : exemption spéciale d'une obligation im-posée par la loi religieuse.

---

### QUESTIONS

■ SUR LE SONNET 122. — Commentez le jugement porté par Henri Weber sur ce sonnet : « Du Bellay systématise ici le procédé discrètement employé dans la peinture des courtisans romains ou des spectacles du carnaval. Ceci lui permet de concentrer en quelques vers tous les aspects de Rome évoqués dans les sonnets précédents : la politique, la guerre, les intrigues pour la nomination de nouveaux cardinaux, les spectacles du carnaval, les cérémonies religieuses et les décisions du pape. On retrouve même le contraste satirique entre les fêtes profanes et la piété extérieure qui caractérisait le sonnet [120]. Nous sommes à la limite entre la réussite et l'artifice, et la valeur du sonnet dépend beaucoup de sa place, qui en fait une conclusion à la satire de la vie romaine. » (*La Création poétique au XVIe siècle en France*.)

— Où se situe l'antithèse? La vie en France apparaît-elle ici sans désa-grément ni déshonneur?

En février 1556, c'est la consternation dans l'entourage du pape, qui a signé, deux mois plus tôt, un traité d'alliance avec la France : Henri II vient de conclure avec Charles Quint, qui n'a pas encore abdiqué l'empire, la **trêve de Vaucelles.** Prévue pour durer cinq ans, elle sera rompue sept mois plus tard.

123

Nous ne sommes fâchés* que la trêve se fasse;
Car bien que nous soyons de la France bien loing[1],
Si[2] est chacun de nous à soi-même témoing
Combien la France doit de la guerre être lasse.

Mais nous sommes fâchés* que l'espagnole audace,
Qui plus que le Français de repos a besoing,
Se vante avoir la guerre et la paix en son poing,
Et que de respirer nous lui donnons espace[3].

Il nous fâche* d'ouïr[4] nos pauvres* alliés
Se plaindre* à tous propos qu'on les ait oubliés,
Et qu'on donne au privé[5] l'utilité commune[6].

Mais ce qui plus[7] nous fâche* est que les étrangers*
Disent plus que jamais que nous sommes légers
Et que nous ne savons connaître[8] la fortune*.

125

Dedans le ventre obscur[9] où jadis fut enclos
Tout cela qui depuis a rempli ce grand vide,
L'air, la terre, et le feu, et l'élément liquide,
Et tout cela[10] qu'Atlas[11] soutient dessus son dos,

---

**1.** L'orthographe originale des mots à la rime des vers 2, 3, 6 a été respectée pour conserver la rime pour l'œil avec le vers 7; **2.** *Si :* pourtant; **3.** *Espace :* occasion; **4.** *Ouïr :* deux syllabes; **5.** Et qu'on sacrifie à l'intérêt privé, national; **6.** Commune à tous les alliés; **7.** *Plus :* le plus; **8.** *Connaître :* reconnaître, discerner; **9.** *Ventre obscur :* le sein de la nature, où le monde fut d'abord en gestation (voir vers 5); **10.** Le ciel et les astres; **11.** *Atlas :* voir Répertoire, page 32.

## QUESTIONS

■ SUR LE SONNET 123. — La structure du sonnet (vers 1, 5, 9, 12) : dans quel cadre formel s'insère l'argumentation politique?

— Malgré son absence de sympathie pour les ardeurs guerrières de Paul IV, du Bellay estime-t-il dénuées de fondement les « plaintes » des alliés romains? Le poète arrive-t-il à concilier ses exigences de moraliste et son patriotisme?

Les semences du Tout étaient encor en gros,
Le chaud avec le sec, le froid avec l'humide[1],
Et l'accord[2] qui depuis leur imposa la bride
N'avait encore ouvert la porte du Chaos[3];

Car la guerre en avait la serrure brouillée,
Et la clef en était par l'âge* si rouillée
Qu'en vain, pour en sortir, combattait ce grand corps,

Sans la trêve, Seigneur, de la paix messagère[4],
Qui trouva le secret[5], et d'une main légère
La paix avec l'amour[6] en fit sortir dehors.

## 126

Tu sois la bienvenue, ô bienheureuse* trêve!
Trêve que le chrétien ne peut assez chanter*,
Puisque seule tu as la vertu* d'enchanter
De nos travaux* passés la souvenance grève[7].

Tu dois durer cinq ans : et que l'envie* en crève,
Car si le ciel bénin te permet enfanter
Ce qu'on attend de toi, tu te pourras vanter
D'avoir fait une paix qui ne sera si brève.

---

1. Souvenir des *Métamorphoses* d'Ovide : « Rassemblés en une seule masse, le froid luttait avec le chaud, l'humide avec le sec » (I, 5-20); 2. Ces éléments *en gros* se livraient une guerre éternelle, jusqu'à ce que, dit Ovide, « un dieu, leur assignant à chacun une place séparée, les unît par une paix qui faisait régner entre eux l'accord »; 3. *Chaos :* voir Répertoire, page 32; 4. Messagère de la paix (inversion); 5. Le secret de la serrure (voir vers 9); 6. Cette mise en ordre des éléments enfin répartis fut le début de l'âge d'or (voir Répertoire, page 32); 7. *Grève* (féminin de *gref* ou *grief*) : douloureux.

## QUESTIONS

■ SUR LE SONNET 125. — Ce sonnet est construit sur deux métaphores : dégagez-en le sens; y a-t-il accord entre les deux images?

— Montrez comment du Bellay adapte le mythe aux événements et comment le recours à la fable lui permet d'élargir l'ampleur de sa réflexion. Comment peut-on expliquer cette volonté de dépasser l'historique? En tenant compte du fait que c'est là un état d'esprit répandu au XVIe siècle, au point que Ronsard, en 1563, remerciait Dorat de lui avoir montré

> ... à bien déguiser la vérité des choses
> D'un fabuleux manteau dont elles sont encloses

*(Hymne de l'Automne),*

examinez ce problème, d'une façon générale, par rapport à la création poétique et artistique.

Mais si le favori* en ce commun repos
Doit avoir désormais le temps* plus à propos
D'accuser l'innocent pour lui ravir sa terre[1],

Si le fruit de la paix du peuple tant requis
A l'avare* avocat est seulement acquis :
Trêve, va-t-en en paix, et retourne[2] la guerre.

Le dernier des sonnets romains, la **dernière impression.** La satire se nuance, dans une comparaison avec la France qui n'est pas tout à l'avantage du pays natal.

127

Ici de mille fards la traison*[3] se déguise,
Ici mille forfaits pullulent à foison,
Ici ne se punit l'homicide ou poison,
Et la richesse ici par usure est acquise;

Ici les grands[4] maisons viennent de bâtardise,
Ici ne se croit rien sans humaine raison,
Ici la volupté est toujours de saison
Et d'autant plus y plaît que moins elle est permise,

1. Allusion probable à Montmorency (vers 9) et au procès de Du Bellay pour la terre d'Oudon (voir Index, page 39 : Montmorency); 2. Que la guerre revienne; 3. *Traison* (trahison) : deux syllabes; 4. Forme encore admise pour le féminin, concurremment avec la forme moderne.

## QUESTIONS

■ SUR LE SONNET 126. — Le thème et le ton des deux quatrains : à quel point de vue du Bellay se place-t-il?

— Quelle préoccupation apparaît dans les tercets? Pourquoi la formulation générale dans les vers 9 à 11 : *le favori*, *l'innocent?*

— Caractérisez l'expression des vers 5 et 14. Montrez que par le ton ces deux vers mettent en relief le dilemme qu'expose ici du Bellay.

◆ SUR LES SONNETS 123-126. — De quelles manières, radicalement différentes, du Bellay traite-t-il le même thème dans chaque sonnet? Dégagez clairement les sentiments qui l'animent.

— Commentez la très grande virtuosité de Du Bellay sonnettiste.

SUR LE SONNET 127.

● VERS 1-8. Le thème des quatrains. Y a-t-il un ordre dans cette énumération des vices romains?

Pense le demeurant. Si est-ce[1] toutefois
Qu'on garde encore ici quelque forme de lois
Et n'en est point du tout[2] la justice bannie.

Ici le grand seigneur n'achète l'action[3]
Et pour priver autrui de sa possession[4]
N'arme son mauvais droit de force et tyrannie[5].

---

C'est enfin le **voyage de retour** tant désiré : du Bellay décrit la fâcheuse expérience qu'il fait de la mer dans sa traversée d'Ostie à Civitavecchia en août 1557 (sonnet 128), cauchemar qu'apaise l'évocation des amis qui l'attendent en France (sonnet 129). Puis il consacre encore deux sonnets à dépeindre son **état d'esprit au moment du départ.**

### 130

Et je pensais aussi ce que pensait Ulysse[6],
Qu'il n'était rien plus doux que voir encore un jour
Fumer sa cheminée[7], et après long séjour
Se retrouver au sein de sa terre nourrice

Je me réjouissais[8] d'être échappé au vice*,
Aux Circés d'Italie, aux Sirènes d'amour[9],
Et d'avoir rapporté en France à mon retour
L'honneur* que l'on s'acquiert d'un fidèle service*[10].

Las, mais après l'ennui* de si longue saison,
Mille soucis* mordants je trouve en ma maison[11],
Qui me rongent le cœur sans espoir* d'allégeance.

---

**1.** *Si est-ce... que :* renforce l'opposition exprimée par toutefois; **2.** *Du tout :* totalement; **3.** *Action :* trois syllabes; **4.** *Possession :* quatre syllabes; **5.** Allusion encore au procès contre Montmorency, favori du roi et peu scrupuleux. Voir Index, page 39 et Notice, page 13; **6.** *Ulysse :* voir Répertoire, page 35; **7.** Voir sonnet 31, vers 6; **8.** *Réjouissais :* quatre syllabes; **9.** Les courtisanes romaines; **10.** Thème du sonnet 27; **11.** Nouvelle allusion au procès contre Montmorency.

## QUESTIONS

● VERS 9-14. Quelle rupture de l'idée accompagne la dislocation du rythme? Analysez l'impression ainsi produite. Relevez les termes âpres et violents, et les allusions amères : comment s'expliquent-ils?

■ SUR L'ENSEMBLE DU SONNET 127. — Quels sont les deux termes de la satire? Lequel est le plus âpre?

— Comment la place du sonnet dans le recueil donne-t-elle toute sa valeur à l'antithèse introduite dans les tercets?

Adieu donques, Dorat[1], je suis encore Romain,
Si l'arc que les neuf sœurs[2] te mirent en la main
Tu ne me prête[3] ici, pour faire ma vengeance.

131

Morel[4], dont le savoir* sur[5] tout autre je prise,
Si quelqu'un de ceux-là, que le Prince lorrain[6]
Guida dernièrement au rivage* romain,
Soit en bien, soit en mal, de Rome te devise[7],

Dis qu'il ne sait que[8] c'est du siège de l'Église,
N'y ayant éprouvé que la guerre et la faim,
Que Rome n'est plus Rome[9], et que celui en vain
Présume d'en juger, qui bien ne l'a comprise.

Celui qui par la rue a vu publiquement
La courtisane en coche[10], ou qui pompeusement
L'a pu voir à cheval en accoutrement d'homme[11]

Superbe* se montrer; celui qui de plein jour
Aux cardinaux en cape a vu faire l'amour[12],
C'est celui seul, Morel, qui peut juger de Rome.

---

**1.** *Dorat :* voir Index, page 37; **2.** *L'arc* des Muses; c'est la vigueur satirique de Dorat dans ses vers latins que du Bellay rêve ici d'emprunter, mais on peut voir aussi dans ces mots un rappel du thème d'Ulysse et une allusion à sa vengeance contre les prétendants; **3.** *Prête :* licence orthographique nécessitée par la versification; **4.** *Morel :* voir Index, page 39; **5.** *Sur :* au-dessus de; **6.** *François de Guise :* voir Index, page 37; **7.** *Deviser :* entretenir, parler de; **8.** *Que :* ce que; **9.** Souvenir de l'aspect exceptionnel présenté par la ville après la rupture de la trêve de Vaucelles (voir le sonnet 123) : pleine de soldats étrangers qui la traitaient en ville conquise, et dont du Bellay entend réfuter le témoignage; **10.** Même thème dans les *Jeux rustiques :*

Je ne veux plus me promener en coche,
Marque jadis des dames sans reproche,
Signe aujourd'hui des vices effrontés *(la Courtisane repentie) ;*

**11.** *Jeux rustiques :*

Aucune fois en accoutrement d'homme,
Je passageais pompeusement par Rome *(la Vieille Courtisane) ;*

**12.** Spectacle confirmé par d'autres témoignages. Un visiteur genevois raconte que, voyant un cavalier dissimulé dans un vaste manteau et ayant en croupe une « demoiselle » déguisée en homme, il se renseigna : « L'on me disait que c'était un tel cardinal avec sa favorita. »

## QUESTIONS

■ SUR LE SONNET 130. — Relevez les allusions, directes et indirectes, à la légende d'Ulysse : comment du Bellay les utilise-t-il pour évoquer sa propre situation?

— Indiquez le ton général de ce sonnet : comparez-le au sonnet 31. Quelle décision exprime le dernier tercet? Y croit-on?

■ SUR LE SONNET 131. — Voir page suivante.

Enfin, même par la pensée, du Bellay a quitté Rome. **Étape par étape,** il nous conte son voyage. A partir de Civitavecchia, la traversée de l'Italie : Urbino, ville accueillante, les États du Pape, ruinés par la guerre et peu hospitaliers, et Ferrare, véritable enfer (sonnet 132). Puis c'est **Venise.**

133

Il fait bon voir, Magny[1], ces coïons[2] magnifiques,
Leur superbe* Arsenal[3], leurs vaisseaux, leur abord[4],
Leur Saint-Marc, leur Palais[5], leur Réalte[6], leur port,
Leurs changes, leurs profits, leur banque et leurs trafiques;

Il fait bon voir le bec de leurs chaprons[7] antiques,
Leurs robes à grand'manche et leurs bonnets sans bord,
Leur parler tout grossier, leur gravité, leur port[8],
Et leurs sages avis aux affaires publiques.

Il fait bon voir de tout[9] leur Sénat[10] ballotter[11],
Il fait bon voir partout leurs gondoles flotter,
Leurs femmes, leurs festins, leur vivre solitaire[12];

---

**1.** *Magny :* voir Index, page 38; **2.** Injure familière aux Italiens; **3.** Les chantiers navals de Venise, grande puissance maritime de l'Europe pendant tout le Moyen Age, avaient une importance considérable; **4.** *Abord :* lieu où l'on aborde; **5.** Le *Palais* des Doges; **6.** *Réalte :* le Rialto, centre de la ville sur le Grand Canal *(Rivo alto)*, qui était alors traversé par un pont de bois. Le célèbre pont de pierre, qui existe encore actuellement, ne fut construit qu'en 1590; **7.** *Chapron* (deux syllabes) ou chaperon : coiffure du Moyen Age; **8.** *Port :* maintien; **9.** La compétence du sénat de Venise s'étendait à toutes les affaires, sans restriction; **10.** Le Grand Conseil, composé au total de 300 membres à titres divers, ce qui ne pouvait manquer d'impressionner un gentilhomme habitué au fonctionnement de la monarchie française. On connaît la réplique de François Ier aux parlementaires qui refusaient d'enregistrer le concordat de 1516 : le roi, en les renvoyant, « bien rudement », leur déclara qu'il ne voulait pas voir en France « un sénat comme à Venise » (cité par Henry Lemonnier dans l'*Histoire de France* de Lavisse, tome V); **11.** Le sénat de Venise votait au moyen d'une *ballotte,* petite boule; **12.** Leur indépendance : les Vénitiens avaient réussi à préserver leur neutralité pendant la plus grande partie des guerres d'Italie.

## QUESTIONS

■ SUR LE SONNET 131. — Quels sont les deux aspects de Rome que du Bellay évoque dans ce sonnet? Lequel est, selon lui, le plus vrai? Cherchez les autres sonnets du recueil où le poète a déjà mis en évidence cette double image? Montrez qu'il s'agit bien là d'un dernier regard posé sur Rome.

◆ SUR LES SONNETS 127 ET 131. — Similitudes et différences entre ces deux sonnets : thème, ton, point de vue.

Mais ce que l'on en doit le meilleur estimer[1],
C'est quand ces vieux cocus vont épouser la mer[2]
Dont ils sont les maris et le Turc l'adultère[3].

C'est ensuite le passage des Alpes par les **Grisons**, route qu'on choisissait aux époques d'insécurité, mais qui n'était ni la plus facile ni la moins impressionnante, et l'itinéraire à travers la **Suisse.**

134

Celui qui d'amitié* a violé[4] la loi,
Cherchant de son ami* la mort et vitupère[5];
Celui qui en procès a ruiné[6] son frère[7]
Ou le bien d'un mineur a converti à soi[8];

Celui qui a trahi* sa patrie et son roi,
Celui qui comme Œdipe[9] a fait mourir son père,
Celui qui comme Oreste[10] a fait mourir sa mère,
Celui qui a nié[11] son baptême et sa foi :

---

**1.** *Estimer - mer :* rime normande (voir sonnet 59, note 9); **2.** Tous les ans, le jour de l'Ascension, le doge, accompagné des patriciens, du nonce et des ambassadeurs, sortait de Venise en mer sur le *Bucentaure*, nef de parade, et, jetant dans les flots un anneau béni, il proclamait en latin : « Nous t'épousons, mer, ce qui est le signe de notre perpétuel droit de possession sur toi. » Cette cérémonie datait du XIIe siècle, où, pour remercier Venise de son accueil, le pape Alexandre III avait dit au doge : « Que la mer vous soit soumise comme l'épouse à l'époux »; elle dura jusqu'au début du XIXe siècle où Napoléon brûla le *Bucentaure ;* **3.** Malgré ces noces annuelles, les Turcs menaçaient continuellement l'Adriatique. L'*adultère :* l'amant; **4.** *Violé :* trois syllabes; **5.** *Vitupère :* déconsidération, déshonneur; **6.** *Ruiné :* trois syllabes; **7.** Allusion possible aux démêlés de René du Bellay avec ses beaux-frères pour l'acquisition de la terre d'Oudon (voir Notice, page 13); **8.** A détourné à son profit; **9.** *Œdipe :* voir Répertoire, page 34; **10.** *Oreste :* voir Répertoire, page 34; **11.** *Nier* (deux syllabes) : renier.

## QUESTIONS

■ SUR LE SONNET 133. — Quel aspect différent de Venise apparaît dans chaque strophe? Précisez le ton des vers 1-11.

— Expliquez l'attitude de Du Bellay à l'égard de Venise : dans quelle mesure y retrouve-t-on les préjugés habituels de Du Bellay à l'étranger?

— Dégagez les moyens (vocabulaire, rythme, rimes, constructions, images, etc.) par lesquels du Bellay réussit à créer un tableau vivant et pittoresque.

SUR LE SONNET 134.

● VERS 1-8. Comment les constructions parallèles, l'énumération, provoquent-elles une impression lancinante, que souligne encore le *crescendo* des fautes évoquées? Pourquoi cette emphase, cette outrance délibérées?

Marseille[1], il ne faut point que pour la pénitence
D'une si malheureuse* abominable offense,
Son estomac plombé[2] martelant nuit et jour,

Il voise[3] errant nu-pieds ni six ni sept années :
Que les Grisons sans plus il passe à ses journées[4],
J'entends s'il veut que Dieu lui doive du retour[5].

135

La terre y est fertile, amples les édifices,
Les poêles[6] bigarrés, et les chambres de bois[7],
La police[8] immuable, immuables les lois,
Et le peuple ennemi de forfaits et de vices*.

Ils boivent nuit et jour en Bretons[9] et Suisses[10],
Ils sont gras et refaits[11], et mangent plus que trois[12] :
Voilà les compagnons et correcteurs des rois[13],
Que le bon Rabelais a surnommés saucisses[14].

---

1. *Marseille :* voir Index, page 39; 2. *Plombé :* devenu couleur de plomb à force de recevoir les coups portés par pénitence; 3. *Il voise :* il aille; 4. Par étapes; 5. S'il veut que Dieu reste son débiteur; 6. Ces *poêles* de brique revêtus de faïences multicolores gardaient longtemps la chaleur, au contraire des hautes cheminées gothiques encore en usage en France; 7. *Chambres :* pièces ménagées à l'étage des chalets, lequel est en *bois*, l'assise étant en pierre; 8. *Police :* institutions; 9. Les Suisses s'engageaient comme mercenaires dans toutes les armées d'Europe, d'où, probablement, leur réputation de buveurs, celle des Bretons étant acquise depuis le Moyen Age; 10. *Suisses :* trois syllabes; 11. *Refait :* repu; 12. Nous dirions : comme quatre; 13. Épris de liberté, les Suisses s'étaient délivrés de la tutelle autrichienne au XIVe siècle, ils avaient au XVe siècle résisté à Charles le Téméraire, ils imposaient en 1499 le traité de Bâle à l'empereur Maximilien, ils infligeaient une écrasante défaite aux troupes de Louis XII à Novare en 1513, avant de conclure avec François Ier la Paix perpétuelle de 1516; 14. « Les Suisses, peuple maintenant hardi et belliqueux, que savons-nous si jadis étaient saucisses? Je n'en voudrais pas mettre le doigt au feu » (Rabelais, *Quart Livre*, chapitre XXXVIII). Cette phrase se trouve dans l'épisode des *Andouilles* (les partisans de la Réforme), chez qui Rabelais dénonce l'avidité des richesses; leur réussite leur donne bonne conscience, comme étant un signe visible de la protection divine. Il précise que, pour être « andouillique », on peut n'en être pas moins « fin et cauteleux ».

## QUESTIONS

● VERS 9-14. La rupture de rythme du vers 9 : par quel procédé d'expression est-elle provoquée? — Relevez dans les vers 10-12 les termes violemment expressifs : commentez-en l'abondance. — Le retour (vers 13-14) à un rythme plus calme et à un vocabulaire plus banal : dégagez le contraste entre l'expression et l'idée.

■ SUR L'ENSEMBLE DU SONNET 134. — Il s'agit ici d'un poème illustrant une impression, une sensation personnelle : par quels moyens cette impression s'exprime-t-elle avec une telle conviction?
— L'habileté et l'efficacité de l'ironie dans ce sonnet.

Ils n'ont jamais changé leurs habits et façons,
Ils hurlent comme chiens leurs barbares chansons[1],
Ils comptent à leur mode[2] et de tout se font croire[3];

Ils ont force beaux lacs et force sources d'eau,
Force prés, force bois. J'ai du reste, Belleau[4],
Perdu le souvenir[5], tant ils me firent boire.

Puis, c'est **Genève.** Évocation d'autant plus intéressante que c'est la seule allusion, dans *les Regrets*, à la grande querelle qui partage le siècle avant de déchirer la France, et d'autant plus précieuse qu'elle traduit la réflexion d'un homme qui arrive de Rome.

136

Je les ai vus, Bizet[6], et si[7] bien m'en souvient,
J'ai vu dessus leur front la repentance peinte,
Comme on voit ces esprits qui là-bas[8] font leur plainte*,
Ayant passé le lac[9] d'où plus on ne revient[10].

Un croire de léger les fols y entretient
Sous un prétexte faux de liberté contrainte[11];
Les coupables fuitifs[12] y demeurent par crainte,
Les plus fins et rusés honte[13] les y retient.

---

**1.** Les « tyroliennes »; **2.** Double sens peut-être : ils disent septante, octante, nonante; mais, d'autre part, ils savent bien compter, notamment les sommes reçues pour accepter de signer la Paix perpétuelle; **3.** La sincérité des Suisses était proverbiale; **4.** *Belleau :* voir Index, page 36. La plaisanterie sur le nom de Belleau (vers 14) était courante parmi ses camarades de la Brigade; **5.** J'ai perdu le souvenir du reste (inversion); **6.** *Bizet :* voir Index, page 36; **7.** *Si* a deux valeurs possibles : 1° *adverbe* (aussi), ce qui donne à la proposition le sens « et aussi je m'en souviens bien »; 2° *conjonction*, ce qui oblige à comprendre « et si je m'en souviens bien »; **8.** *Là-bas :* aux Enfers; **9.** *Le Styx :* voir Répertoire, page 35; **10.** Souvenir de Virgile (*l'Énéide*, VI, 425); **11.** L'acceptation irréfléchie (*un croire de léger :* verbe substantivé) des proclamations officielles de Genève sur le respect de la liberté fait que ceux qui se laissent abuser *(les fols)* continuent à y vivre *(y entretient)* en se contentant de l'apparence trompeuse *(sous un prétexte faux)* d'une *liberté* en fait étroitement restreinte *(contrainte)*; **12.** *Fuitif :* fugitif; **13.** La *honte* de se déjuger en trahissant leurs frères de religion. Opposer *les plus fins et rusés* aux *fols* du vers 5.

## QUESTIONS

■ SUR LE SONNET 135. — Relevez les éléments franchement caricaturaux et satiriques; les remarques élogieuses; les évocations ou les allusions assez ambiguës pour être considérées comme critiques. Quelle impression générale s'en dégage?

— L'aspect de la Suisse au XVIe siècle : par quoi du Bellay semble-t-il le plus frappé? Le dépaysement du poète n'est-il pas plus fort qu'à Rome?

Au demeurant, Bizet, l'avarice* et l'envie*,
Et tout cela qui plus[1] tourmente notre vie,
Domine en ce lieu-là plus qu'en tout autre lieu.

Je ne vis onques[2] tant l'un l'autre contredire,
Je ne vis onques tant l'un de l'autre médire :
Vrai est que, comme ici[3], l'on n'y jure point Dieu[4].

Le sonnet 137 fait l'éloge de Lyon, rivale des plus grandes villes commerciales de l'Europe; il est adressé à Maurice Scève, poète lyonnais admiré de Ronsard et de Du Bellay qui lui avait déjà dédié un sonnet lors de son passage à Lyon en 1553. Puis c'est le spectacle de **Paris retrouvé** et la fin du voyage.

138

Devaulx[5], la mer reçoit tous les fleuves du monde
Et n'en augmente point : semblable à la grand'mer
Est ce Paris sans pair, où l'on voit abîmer[6]
Tout ce qui là-dedans de toutes parts abonde.

Paris est en savoir* une Grèce féconde,
Une Rome en grandeur Paris on peut nommer,
Une Asie en richesse on le peut estimer,
En rares nouveautés[7] une Afrique seconde.

1. *Plus:* le plus; 2. *Onques:* jamais; 3. *Ici:* en France; 4. Les sanctions sur ce point étaient draconiennes, allant, pour les « jurements », jusqu'au bannissement et, pour les blasphèmes, à la menace, redoutablement imprécise, « d'être puni et châtié selon l'exigence du cas » (édits « publiés à voix de trompette » en février et mars 1560 à Genève, cités par Henri Chamard). Voir dans la Documentation thématique *le sonnet d'un quidam* et les réponses de Du Bellay, pages 163-164; 5. *Devaulx:* personnage non identifié; 6. *Abîmer:* s'engouffrer; 7. En merveilles extraordinaires.

## QUESTIONS

■ SUR LE SONNET 136. — En combien de catégories du Bellay range-t-il les habitants de Genève? Quel climat moral est créé dès les premiers mots? Commentez à ce propos les rimes des vers 6 et 7.

— Étant donné l'âpreté de la satire de Rome dans *les Regrets*, étant donné ce que du Bellay dira de la cour de France, appréciez la portée des vers 9-13, et en particulier du vers 11. En quoi la restriction du dernier vers aggrave-t-elle la portée satirique? En quoi l'absence de traits pittoresques (au contraire du sonnet 135) accroît-elle l'efficacité de cette attaque?

Bref, en voyant, Devaulx, cette grande cité,
Mon œil qui paravant était exercité[1]
A ne s'émerveiller des choses plus[2] étranges*,

Prit ébahissement. Ce qui ne me put plaire,
Ce fut l'étonnement du badaud populaire[3],
La presse des chartiers[4], les procès, et les fanges[5].

**LA PARTIE FRANÇAISE DES « REGRETS »** : on ne peut plus ici invoquer l'unité d'inspiration. Après avoir raillé, du Bellay louera avant de flatter, lui aussi. Sa déconvenue, en retrouvant l'aristocratique cour du Louvre si peu différente, tout compte fait, de la cour plus mêlée qu'il a tant vilipendée à Rome, va d'abord s'exprimer dans la **satire du courtisan français.**

Mais, malgré la sincérité de l'indignation, il y manque l'efficacité satirique, et ce qui faisait la valeur des sonnets romains : c'est que « du Bellay n'a plus, pour voir la cour de France, les yeux neufs qui découvraient la cour pontificale. Il reste courtisan tout en faisant la satire du courtisan et ne peut atteindre l'indignation violente qui soulève un d'Aubigné, ni l'acuité de vision qui caractérise La Bruyère » (Henri Weber). C'est pourquoi, dans cette dernière partie, nous retenons un nombre de sonnets moins important que précédemment.

140

Si tu veux sûrement en cour te maintenir,
Le silence, Ronsard[6], te soit comme un décret.
Qui baille à son ami* la clef de son secret,
Le fait de son ami* son maître devenir.

---

**1.** *Exercité :* habitué; **2.** *Plus :* le plus; **3.** Rabelais parle déjà du « badaud peuple » de Paris; **4.** La même orthographe se trouve encore chez La Fontaine : *le Chartier embourbé* (Fables, VI, 18); **5.** Comme les embarras de rues, c'est là un thème traditionnel de la satire de Paris. Une plaisanterie du XVI^e^ siècle faisait dériver Lutèce de *lutum*, boue. Montaigne écrivait : « Ces belles villes, Venise et Paris, altèrent la faveur que je leur porte par l'aigre senteur, l'une de son marais, l'autre de sa boue » (*Essais*, I, 55). Les rues de Paris, en effet, étaient encombrées d'immondices et de déchets dans leur ruisseau central; **6.** *Ronsard :* voir Index, page 40.

## QUESTIONS

■ SUR LE SONNET 138. — Dégagez la progression du ton dans les trois premières strophes. N'y a-t-il pas cependant, dans les vers 1-11, quelque chose de factice, qui n'est pas tout à fait convaincant?

— On comprend les réserves exprimées dans le dernier vers : mais pourquoi l'irritation du vers 13? (tenez compte de la force du mot *étonnement*). Commentez la valeur donnée au mot *procès* par sa position.

— La part de l'admiration et celle de la critique : comment s'explique la déception du poète qui a tant souhaité ce retour?

Tu dois encor, Ronsard, ce me semble, tenir[1]
Avec ton ennemi quelque moyen[2] discret,
Et faisant[3] contre lui, montrer qu'à ton regret*
Le seul devoir te fait en ces termes venir.

Nous voyons bien souvent une longue amitié*
Se changer pour un rien en fière[4] inimitié,
Et la haine en amour souvent se transformer.

Dont[5], vu le temps* qui court, il ne faut s'ébahir.
Aime donques, Ronsard, comme pouvant haïr[6],
Haïs[7] donques, Ronsard, comme pouvant aimer.

## 142

Cousin[8], parle toujours des vices* en commun[9]
Et ne discours jamais d'affaires à la table[10],
Mais surtout garde-toi d'être trop véritable,
Si en particulier tu parles de quelqu'un.

Ne commets[11] ton secret à la foi d'un chacun[12],
Ne dis rien qui ne soit pour le moins vraisemblable;
Si tu mens, que ce soit pour chose profitable
Et qui ne tourne point au déshonneur* d'aucun.

Surtout garde-toi bien d'être double en paroles,
Et n'use sans propos de finesses[13] frivoles
Pour acquérir le bruit[14] d'être bon courtisan*.

---

**1.** *Tenir :* garder; **2.** *Moyen :* intermédiaire, relation; **3.** *Faisant :* agissant; **4.** *Fier :* féroce; **5.** *Dont :* de cela; **6.** Adage antique, critiqué par Montaigne dans son essai *De l'amitié ;* **7.** *Haïs :* deux syllabes; **8.** *Cousin :* voir Index, page 37; **9.** *En commun :* en général; **10.** *A la table :* en public, en société; **11.** *Commettre :* confier; **12.** *Foi :* discrétion; **13.** *Finesse :* ruse; **14.** *Bruit :* réputation.

## QUESTIONS

■ SUR LE SONNET 140. — Quelle conduite recommande ici du Bellay? Citez d'autres descriptions de la vie à la Cour, au XVIe siècle et au XVIIe, confirmant cette perpétuelle duplicité du comportement à laquelle du Bellay fait allusion ici.

— En quoi le choix de Ronsard comme destinataire de ce sonnet est-il significatif ?

— Quel est ici le procédé de la satire?

L'artifice[1] caché, c'est le vrai artifice :
La souris bien souvent périt par son indice[2],
Et souvent par son art* se trompe l'artisan[3].

143

Bizet[4], j'aimerais mieux faire un bœuf d'un fourmi[5],
Ou faire d'une mouche un indique[6] éléphant,
Que le bonheur* d'autrui par mes vers* étouffant[7]
Me faire d'un chacun le public ennemi.

Souvent pour un bon mot on perd un bon ami*,
Et tel par ses bons mots croit, tant il est enfant,
S'être mis sur la tête un chapeau triomphant[8],
A qui mieux eût valu être bien endormi.

La louange, Bizet, est facile à chacun,
Mais la satire n'est un ouvrage commun :
C'est, trop plus[9] qu'on ne pense, un œuvre[10] industrieux[11].

---

1. *Artifice :* habileté, savoir-faire (même sens que *art* au XVIe siècle); 2. En se montrant trop. A rapprocher du proverbe : « Souris qui n'a qu'un trou est bientôt prise »; 3. Par excès d'habileté *(par son art)*, il manque son but *(se trompe)* ; 4. *Bizet :* voir Index, page 36; 5. Donner des éloges excessifs; 6. *Indique :* des Indes; même sens que le vers précédent. Ce vers reproduit un proverbe grec cité dans les *Adages* d'Érasme, mais détourné ici de son vrai sens (« donner une importance imméritée »); 7. Qu'étouffant par mes vers le bonheur (inversion); 8. La couronne de lauriers; 9. *Trop plus :* bien plus; 10. *Œuvre :* voir sonnet 107, vers 3 et la note; 11. *Industrieux :* qui demande de l'habileté.

**QUESTIONS**

■ SUR LE SONNET 142. — Quel genre d'homme est ce Cousin, d'après les recommandations qui lui sont adressées? Montrez l'ironie de ces conseils : ceux qu'à coup sûr Cousin suit sans qu'on ait besoin de le lui dire; ceux qu'il ne suivra certainement pas d'après ce qu'insinue du Bellay.

— Que suggèrent les deux derniers vers? Est-ce de nature à flatter le destinataire du sonnet?

— Outre l'ironie, ne peut-on déceler un autre ton dans ce sonnet?

SUR LE SONNET 143.

● VERS 1-4. Pourquoi du Bellay commence-t-il par deux images pittoresques et expressives? — Dans quelle mesure ce souci moral est-il logique de la part d'un satirique?

● VERS 5-11. Précisez le thème de ces deux strophes. Que nous apprennent-elles du jugement porté par du Bellay sur son œuvre? — Le ton des vers 7 et 8 : comment rehaussent-ils l'idée générale du passage?

Il n'est rien si fâcheux* qu'un brocard[1] mal plaisant,
Et faut bien, comme on dit, bien dire en médisant,
Vu que le louer[2] même est souvent odieux[3].

Après cette série de réflexions sur le climat moral de la Cour, c'est à l'attaque directe que passe à présent du Bellay. Et d'abord par l'évocation des **relations,** peu amènes, **entre courtisans et poètes.**

145

Tu t'abuses, Belleau[4], si pour[5] être savant*,
Savant* et vertueux[6]*, tu penses qu'on te prise :
Il faut, comme l'on dit, être homme d'entreprise[7],
Si tu veux qu'à la cour on te pousse en avant.

Ces beaux noms de vertu*, ce n'est rien que du vent.
Donques, si tu es sage, embrasse la feintise*,
L'ignorance, l'envie*, avec la convoitise :
Par ces arts* jusqu'au ciel on monte bien souvent[8].

La science[9]* à la table[10] est des seigneurs prisée,
Mais en chambre[11], Belleau, elle sert de risée;
Garde[12], si tu m'en crois, d'en acquérir le bruit[13].

---

**1.** *Brocard :* raillerie; **2.** Infinitif substantivé : voir sonnet 46, note 5; **3.** *Odieux :* trois syllabes; **4.** *Belleau :* voir Index, page 36; **5.** *Pour* a une valeur causale; **6.** *Savant et vertueux :* deux qualités inséparables, conditions de la création poétique, selon les poètes de la Pléiade. Idée clé du XVIe siècle : « Science sans conscience n'est que ruine de l'âme », disait déjà Rabelais; **7.** *Homme d'entreprise :* intrigant; **8.** Image de Virgile : « *Sic itur ad astra* » (*l'Énéide*, IX, 461); **9.** *Science :* deux syllabes (plus la muette, ici élidée sur la voyelle suivante); **10.** *A la table :* voir sonnet 142, vers 2 et la note; **11.** *En chambre :* en privé; **12.** *Garder :* éviter; **13.** *Bruit :* réputation.

## QUESTIONS

● VERS 12-14. Analysez le sens exact du vers 13. Commentez le jeu de mots : en quoi résume-t-il l'idée fondamentale du sonnet? — Montrez que le dernier tercet reprend et nuance l'idée exprimée par le premier quatrain.

■ SUR L'ENSEMBLE DU SONNET 143. — En quoi est-il important et significatif que ce sonnet soit adressé à un homme comme Bizet (voir Index, page 36)?

◆ SUR LES SONNETS 62, 77, 108, 143. — D'après ces sonnets, dégagez les principales idées de Du Bellay sur la satire et le poète satirique.

L'homme trop vertueux* déplaît au populaire[1] :
Et n'est-il pas bien fol, qui s'efforçant de plaire,
Se mêle d'un métier que tout le monde fuit?

149

Vous dites, courtisans* : « Les poètes* sont fous »,
Et dites vérité; mais aussi dire j'ose
Que tels[2] que vous soyez, vous tenez quelque chose
De cette douce humeur[3] qui est commune à tous.

Mais celle-là, Messieurs, qui domine sur vous
En autres actions[4] diversement s'expose[5] :
Nous sommes fous en rime, et vous l'êtes en prose,
C'est le seul différent[6] qu'est entre vous et nous.

Vrai est que[7] vous avez la cour plus favorable*
Mais aussi n'avez-vous un renom si durable;
Vous avez plus d'honneurs*, et nous moins de souci*.

Si vous riez de nous, nous faisons la pareille[8].
Mais cela qui se dit s'envole par l'oreille,
Et cela qui s'écrit ne se perd pas ainsi[9].

---

**1.** *Populaire* désigne non pas le peuple, mais la foule des seigneurs plus ou moins illettrés; **2.** *Tels que :* quels que; **3.** *Humeur :* prédisposition; **4.** *Actions :* trois syllabes; **5.** *S'exposer :* se manifester; **6.** *Différent :* différence; **7.** Il est vrai que; **8.** *La pareille :* la même chose; **9.** Vieil adage latin : les paroles s'envolent, les écrits restent.

## QUESTIONS

■ Sur le sonnet 145 — Les termes qui caractérisent le climat intellectuel et moral de la cour de France dépareraient-ils ce que disait du Bellay de la cour de Rome?

— Quelle lumière ce sonnet projette-t-il sur la culture des courtisans (vers 9 et 10)?

— Comment apparaît la condition du poète parmi les courtisans? Quel est ici son prestige? Comparez avec l'image que du Bellay se faisait de la chance de ses amis restés en France (sonnets 16 à 24), alors qu'il était à Rome.

■ Sur le sonnet 149. — Expliquez le sens exact de la première constatation (vers 1-4), en rapprochant ce texte du sonnet 145, vers 13. Quel est le ton des vers 3-6? Commentez l'attitude révélée par les vers 7 et 8.

— Montrez comment, dans les tercets, le ton s'élève : quel jugement de valeur y est formulé? Les rapports entre ce jugement et l'opinion exprimée par le premier vers du sonnet. Montrez que ce jugement exprime une conviction constante chez du Bellay et les poètes de la Pléiade (voir sonnet 4, page 53, note 5).

150

Seigneur, je ne saurais regarder d'un bon œil
Ces vieux[1] singes de cour[2]*, qui ne savent rien faire,
Sinon en leur marcher[3] les princes contrefaire,
Et se vêtir, comme eux, d'un pompeux appareil.

Si leur maître se moque, ils feront le pareil;
S'il ment, ce ne sont eux qui diront du contraire :
Plutôt auront-ils vu, afin de lui complaire,
La lune en plein midi, à minuit le soleil[4].

Si quelqu'un devant eux reçoit un bon visage[5],
Ils le vont caresser, bien qu'ils crèvent de rage;
S'il le[6] reçoit mauvais, ils le[7] montrent au doigt.

Mais ce qui plus[8] contre eux quelquefois me dépite,
C'est quand devant le Roi, d'un visage hypocrite,
Ils se prennent à rire et ne savent pourquoi.

A partir du sonnet 152, viennent les **hommages**, adressés d'abord **aux amis poètes.**

---

**1.** *Vieux* par la pratique du métier plus que par l'âge; **2.** Rapprocher de La Fontaine : « Peuple caméléon, peuple singe du maître... » (*Fables*, VIII, 14); **3.** Sur l'infinitif substantivé, voir sonnet 46, note 5; **4.** On trouve le même trait dans les *Satires* de l'Arioste : « Fou qui veut contredire son seigneur, quand bien même il dirait qu'il a vu le jour plein d'étoiles ou le soleil à minuit »; **5.** Du roi; **6.** *Le :* le *visage*, l'accueil (vers 9); **7.** *Le :* se rapporte à *quelqu'un* (vers 9). Malherbe condamnera ces constructions imprécises et équivoques; **8.** *Plus :* le plus.

## QUESTIONS

■ SUR LE SONNET 150 — Quel aspect particulier du comportement des courtisans est évoqué dans chaque partie du poème? Citez dans chacune d'elles les mots caractéristiques. Montrez la progression dans la mise en accusation que constitue ce sonnet.

— Examinez les constructions syntaxiques : montrez que toutes les propositions dans lesquelles sont dépeints les courtisans sont étroitement liées à un but, à une condition, et même à un mécanisme de temps : quel effet en résulte? De la même manière, relevez et commentez les procédés d'expression : parallélismes, oppositions, comparaisons.

— Montrez qu'en fait du Bellay dénonce cette véritable altération de la personnalité que provoque la vie de cour. Quelle impression laisse cette évocation de l'absurdité considérée comme une raison de vivre (notamment vers 7, 8, 14)?

— Comparez ce sonnet au sonnet 86 sur le courtisan romain.

## 152

Si mes écrits, Ronsard[1], sont semés de ton los[2]
Et si le mien encor tu ne dédaignes dire,
D'être enclos en mes vers* ton honneur* ne désire,
Et par là je ne cherche en tes vers* être enclos.

Laissons donc, je te prie, laissons causer ces sots
Et ces petits galants[3] qui, ne sachant que dire,
Disent, voyant Ronsard et Bellay s'entr'écrire,
Que ce sont deux mulets qui se grattent le dos[4].

Nos louanges, Ronsard, ne font tort à personne;
Et quelle loi défend que l'un à l'autre en donne,
Si les amis* entre eux des présents se font bien?

On peut comme l'argent* trafiquer la louange,
Et les louanges sont comme lettres de change,
Dont le change et le port, Ronsard, ne coûte[5] rien.

## 156

Par ses vers* téiens[6] Belleau[7] me fait aimer
Et le vin et l'amour[8]; Baïf[9], ta challemie[10]

---

1. *Ronsard :* voir Index, page 40; 2. *Los :* louange; 3. *Galant :* habile; 4. Adage latin : « l'âne frotte l'âne », déjà repris par Marot :

Et semblent tant ils s'entreflattent
Deux vieux ânes qui s'entregrattent

(*Épitres*, 60), avant de l'être par La Fontaine dans la fable *le Lion, le Singe, et les deux Anes* (XI, 5); l'image évoque les compliments de complaisance; 5. Accord avec le dernier sujet; 6. Anacréon était de Téos, et Belleau avait publié en 1556 la traduction des *Odes* d'Anacréon; 7. *Belleau :* voir Index, page 36; 8. Ces deux thèmes sont en effet constants chez Anacréon; 9. *Baïf :* voir Index, page 36; 10. *Challemie :* chalumeau.

### QUESTIONS

■ SUR LE SONNET 152. — Quelle est l'idée exprimée par le premier quatrain? Pourquoi du Bellay éprouve-t-il le besoin de la préciser?

— Dans les vers 5-8, qu'apprenons-nous sur l'atmosphère qui environnait Ronsard et du Bellay à la Cour? Cela n'illustre-t-il pas un vice fréquemment dénoncé par *les Regrets* comme inhérent à la vie de cour, notamment à Rome? Lequel?

— N'y a-t-il pas contradiction entre ce qu'expriment les tercets et la recommandation contenue dans les vers 5? Relevez les deux comparaisons utilisées par du Bellay dans cette justification; sont-elles convaincantes? Ne trahissent-elles pas un certain malaise?

Me fait plus qu'une reine une rustique amie[1]*
Et plus qu'une grand'ville un village estimer.

Le docte Peletier[2] fait mes flancs emplumer[3]
Pour voler jusqu'au ciel avec son Uranie[4];
Et par l'horrible effroi d'une étrange harmonie
Ronsard de pied en cap hardi[5] me fait armer[6].

Mais je ne sais comment ce démon[7] de Jodelle[8]
(Démon est-il vraiment, car d'une voix mortelle
Ne sortent point ses vers*) tout soudain que je l'oi[9],

M'aiguillonne, m'époint[10], m'épouvante, m'affole,
Et comme Apollon[11] fait de sa prêtresse folle[12],
A moi-même m'ôtant, me ravit tout à soi[13].

Après deux sonnets dédiés à l'architecte Pierre Lescot, vient la dernière série de sonnets des *Regrets*, de beaucoup la moins intéressante, la plus décevante aussi, parce qu'on y voit un homme qui avait flétri si âprement la flatterie se transformer à son tour en poète courtisan. Ce sont les **hommages aux grands,** parce que c'est l'usage, sans doute, et puis aussi, peut-être, parce qu'il faut bien vivre.

---

**1.** Dans *les Amours de Francine* (1555), Baïf avait chanté une « rustique amie » qui vivait dans un « village » du Poitou; **2.** *Peletier du Mans :* voir Index, page 40; **3.** Me fait pousser des ailes; **4.** *L'Uranie :* quatorze petits poèmes scientifiques publiés en 1555. Sur *Uranie*, voir Répertoire, page 35; **5.** *Hardi :* hardiment (valeur adverbiale); **6.** Allusion probable à quelques pièces de Ronsard, écrites en vers héroïques et d'un caractère épique; **7.** *Démon :* voir Répertoire, page 33; **8.** *Jodelle :* voir Index, page 38; **9.** Dès que je l'entends. L'orthographe (sans *s*), d'ailleurs conforme à l'étymologie, est nécessitée par la rime; **10.** *Époindre :* stimuler; **11.** *Apollon :* voir Répertoire, page 32; **12.** La Pythie (voir Répertoire, page 35); **13.** Sur Jodelle, l'humaniste Étienne Pasquier écrit de même dans ses *Recherches de la France :* « Entre Ronsard et du Bellay était Étienne Jodelle [...]. En lui y avait un naturel émerveillable. [Les connaisseurs] disaient que Ronsard était le premier des poètes, mais que Jodelle en était le démon. Rien ne semblait lui être impossible, où il employait son esprit. »

## QUESTIONS

■ SUR LE SONNET 156. — L'intérêt présenté par ce sonnet est-il, à votre avis, poétique ou documentaire?

— Relevez et codifiez les termes qui exaltent l'inspiration et la réussite poétiques.

— Dans la *Défense et illustration*, du Bellay écrivait : « Celui sera véritablement le poète que je cherche en notre langue qui me fera indigner, apaiser, éjouir, douloir, aimer, haïr, admirer, étonner, bref qui tiendra la bride de mes affections, me tournant çà et là à son plaisir » (livre II, chapitre XI). A-t-il changé d'avis depuis? Pourquoi Jodelle est-il l'objet de cet éloge privilégié?

159

De votre Dianet[1] (de votre nom j'appelle
Votre maison d'Anet) la belle architecture,
Les marbres animés[2], la vivante peinture
Qui la font estimer des maisons la plus belle[3],

Les beaux lambris dorés[4], la luisante chapelle[5],
Les superbes* donjons[6], la riche couverture[7],
Le jardin tapissé d'éternelle verdure,
Et la vive fontaine à la source immortelle[8] :

Ces ouvrages, Madame, à qui bien les contemple,
Rapportant[9] de l'antiqu' le plus parfait exemple,
Montrent un artifice[10] et dépense[11] admirable.

Mais cette grand'douceur jointe à cette hautesse
Et cet astre[12] bénin joint à cette sagesse,
Trop plus[13] que tout cela vous font émerveillable.

Après la favorite, défilent, sonnet par sonnet, de hauts personnages de l'État : d'Avanson, à qui sont dédicacés *les Regrets* (sonnets 160, 164, 165), le cardinal Bertrand, garde des Sceaux (161), le chancelier Olivier (162), le très haut fonctionnaire Jean du Thier (163), Poulin, amiral de la flotte (166), Michel de L'Hospital, futur chancelier de France (167), le cardinal de Lorraine (168), le cardinal de Châtil-

**1.** *Dianet :* trois syllabes; jeu de mots sur le nom de Diane de Poitiers (voir Index, page 37) et d'Anet, près de Dreux, où elle avait son château; **2.** Les statues; **3.** De l'avis unanime, Anet était une véritable merveille ; **4.** *Lambris dorés :* les plafonds à caissons; **5.** La chapelle était construite en marbre blanc et ornée de vitraux; **6.** Les constructeurs du XVI^e^ siècle maintenaient les donjons (à Chambord, par exemple); **7.** *Couverture :* toit; **8.** La statue de Diane, figurée en déesse, occupait le centre du bassin; **9.** *Rapporter :* reproduire; **10.** *Artifice :* art; **11.** C'est ici un hommage à la générosité d'Henri II, qui se voulait le dernier des amants courtois. Anet, en effet, avait coûté fort cher; **12.** La lune, dont le croissant, emblème de Diane, ornait toutes les fenêtres du château; **13.** *Trop plus :* bien plus.

**QUESTIONS**

■ SUR LE SONNET 159. — De l'éloge du château (vers 1-11) et de celui de la favorite (vers 12-14), lequel est le plus convaincant? Relevez tous les éléments conventionnels, dans l'un et dans l'autre.

— Diane de Poitiers était, paraît-il, remarquable par sa beauté et sa jeunesse inaltérables. N'est-il pas surprenant que du Bellay ne dise rien de ce charme vanté si souvent?

lon (169), et enfin la famille royale : d'abord celle qu'on allait appeler la reine dauphine après son mariage en avril 1558, **Marie Stuart,** reine d'Écosse.

170

Ce n'est pas sans propos qu'en vous le ciel a mis
Tant de beautés d'esprit et de beautés de face[1],
Tant de royal honneur* et de royale grâce,
Et que plus que cela vous est encor promis.

Ce n'est pas sans propos que les destins amis*,
Pour rabaisser l'orgueil de l'espagnole audace,
Soit par droit d'alliance[2] ou soit par droit de race[3],
Vous ont par leurs arrêts trois grands peuples soumis.

Ils veulent que par vous la France et l'Angleterre
Changent en longue paix l'héréditaire guerre
Qui a de père en fils si longuement duré;

Ils veulent que par vous la belle vierge Astrée[4]
En ce siècle de fer refasse encore entrée,
Et qu'on revoie encor le beau siècle doré[5].

Dans cette galerie de portraits apparaissent Catherine de Médicis (171), le dauphin, futur François II (172), la reine de Navarre Jeanne d'Albret, admiratrice de Du Bellay (173), et enfin **Marguerite de Valois,** sœur du roi, la protectrice du poète, qui inspire les sonnets 174 à 190, parfois mieux venus que les précédents.

---

**1.** *Face :* visage, traits; **2.** Par son mariage *(alliance)* avec le Dauphin, Marie Stuart sera promise au trône de France; **3.** Reine d'Écosse, elle prétendait en outre au trône d'Angleterre, non sans droit : on sait que son fils réunira les deux couronnes; **4.** *Astrée :* voir Répertoire, page 32; **5.** L' « âge de fer », opposé à l' « âge d'or » (voir Répertoire, page 32).

## QUESTIONS

■ Sur le sonnet 170, — La part de l'académisme dans cet éloge; sur quel point y a-t-il cependant une insistance qui traduit une opinion personnelle du poète?

— La flatterie et la vérité dans ce sonnet. Montrez que son intérêt provient de ce qu'il présente Marie Stuart comme on n'a pas l'habitude de l'imaginer : pourquoi?

179

Voyant l'ambition*, l'envie* et l'avarice*,
La rancune, l'orgueil, le désir aveuglé,
Dont cet âge de fer[1] de vices* tout rouglé[2]
A violé[3] l'honneur de l'antique justice[4],

Voyant d'une autre part la fraude, la malice*,
Le procès immortel[5], le droit mal conseillé,
Et voyant au milieu du vice* déréglé
Cette royale fleur[6], qui ne tient rien du vice*,

Il me semble, Dorat[7], voir au ciel revolés[8]
Des antiques vertus* les escadrons ailés,
N'ayant rien délaissé[9] de leur saison dorée[10]

Pour réduire[11] le monde à son premier printemps,
Fors[12] cette Marguerite, honneur* de notre temps*,
Qui, comme l'espérance, est seule demeurée[13].

181

Ronsard, j'ai vu l'orgueil des colosses[14] antiques,
Les théâtres en rond[15] ouverts de tous côtés,
Les colonnes, les arcs, les hauts temples voûtés[16],
Et les sommets pointus des carrés obélisques.

J'ai vu des empereurs les grands thermes publiques,
J'ai vu leurs monuments que le temps* a domptés,

1. *Age de fer :* voir sonnet 170, vers 13 et 14; 2. *Rouglé :* rouillé; 3. *Violé :* trois syllabes; 4. *L'antique justice :* Astrée, voir sonnet 170, vers 12 et la note; 5. *Immortel :* sans fin; 6. Marguerite de Valois (jeu de mots sur le prénom). Voir Index, page 38; 7. *Dorat :* voir Index, page 37; 8. *Revolé :* reparti, renvolé; 9. *Délaissé :* abandonné; 10. *Saison dorée :* voir sonnet 170, vers 13-14; 11. *Réduire :* ramener; 12. *Fors :* sinon; 13. Allusion au mythe de Pandore (voir Répertoire, page 34); 14. *Colosse :* statue colossale; 15. Les amphithéâtres; 16. *Voûté :* à coupole.

## QUESTIONS

■ SUR LE SONNET 179. — Relevez les allusions au mythe de l'âge d'or : comment du Bellay tire-t-il parti de ce mythe pour définir son siècle? pour rehausser la valeur de sa protectrice? Comparez l'utilisation de ce mythe dans les sonnets 170 et 179.

— Commentez les deux vers 8 et 14, en fonction de leur place dans le sonnet, de l'idée qu'ils expriment, de leur rapport avec le thème central de ce sonnet.

— Pourquoi du Bellay adresse-t-il ce poème à Dorat?

Phot. Giraudon.

MARGUERITE DE VALOIS
Portrait par François Clouet.

J'ai vu leurs beaux palais que l'herbe a surmontés,
Et des vieux murs romains les poudreuses reliques[1].

Bref, j'ai vu tout cela que Rome a de nouveau[2],
De rare, d'excellent, de superbe* et de beau;
Mais je n'y ai point vu encore si grand'chose

Que cette Marguerite[3], où semble[4] que les cieux,
Pour effacer l'honneur* de tous les siècles vieux[5],
De leurs plus beaux présents ont l'excellence enclose.

188

Paschal[6], je ne veux point Jupiter[7] assommer
Ni, comme fit Vulcain[8], lui rompre la cervelle
Pour en tirer dehors[9] une Pallas[10] nouvelle,
Puisqu'on veut de ce nom ma Princesse[11] nommer.

D'un effroyable armet[12] je ne la veux armer
Ni de ce que du nom d'une chèvre on appelle[13],
Et moins[14] pour avoir vu[15] sa Gorgone[16] cruelle,
Veux-je en nouveaux cailloux les hommes transformer.

---

1. *Les poudreuses reliques :* les restes réduits en poussière, les ruines; 2. *Nouveau :* extraordinaire; 3. *Marguerite* de Valois : voir Index, page 38; 4. En qui il semble; 5. *Les siècles vieux :* l'Antiquité; 6. *Paschal :* voir Index, page 39; 7. *Jupiter :* voir Répertoire, page 33; 8. *Vulcain :* voir Répertoire, page 35; 9. *Tirer dehors :* faire naître; 10. *Pallas :* voir Répertoire, page 34; 11. Marguerite de Valois (voir Index, page 38), déjà célébrée par Ronsard sous le nom de Pallas; 12. *Armet :* casque; 13. L'égide de Pallas était faite avec la peau de la chèvre Amalthée (voir Répertoire, page 32); 14. Et moins encore; 15. En leur faisant voir (*pour :* valeur causale); 16. *Gorgone :* voir Répertoire, page 33.

## QUESTIONS

■ SUR LE SONNET 181. — Dégagez le mouvement de chute qui se dessine dans les quatrains : vocabulaire, constructions, antithèses, valeur des mots à la rime. Quelle est l'idée qu'expriment ces quatrains?

— Dégagez dans les tercets le mouvement inverse. Soulignez son rapport avec le thème.

— Pourquoi y a-t-il ici quelque chose de plus convaincant que dans les sonnets 159, 170, 179?

— Quelle partie de ce sonnet vous paraît la meilleure? En quoi ce poème est-il un poème d'humaniste?

Je ne veux déguiser ma simple poésie*
Sous le masque emprunté d'une fable moisie,
Ni souiller un beau nom de monstres tant hideux;

Mais suivant, comme toi, la véritable histoire,
D'un vers* non fabuleux[1] je veux chanter* sa gloire
A nous, à nos enfants, et ceux qui naîtront d'eux.

Et c'est enfin, en dernier hommage, le dernier sonnet des *Regrets* adressé **au roi** Henri II.

191

Sire, celui qui est a formé toute essence
De ce qui n'était rien. C'est l'œuvre du Seigneur;
Aussi tout honneur* doit fléchir à[2] son honneur*,
Et tout autre pouvoir céder à sa puissance.

On voit beaucoup de rois qui sont grands d'apparence;
Mais nul, tant soit-il grand[3], n'aura jamais tant d'heur*
De pouvoir[4] à la vôtre égaler sa grandeur;
Car rien n'est après Dieu si grand qu'un roi de France.

---

1. Sans recourir aux mythes; 2. *Fléchir à* : s'incliner sous; 3. Si grand soit-il; 4. Qu'il puisse.

## QUESTIONS

■ SUR LE SONNET 188. — L'ironie des vers 1-11 : avec quelle verve s'exprime-t-elle? Pourquoi cette énergie agressive? Faites, dans ce reniement, la part du procédé destiné à varier le ton de l'hommage à Marguerite de Valois, et la part de la lassitude à l'égard d'une mode déjà ressentie peut-être, par le poète, comme un académisme; comparez aux sonnets 2 et 4.

— Quel thème cher aux poètes et aux humanistes du XVIe siècle apparaît dans le dernier tercet? En quoi l'hommage est-il, ici, assez habile et assez nuancé?

SUR LE SONNET 191.

● VERS 1-8. Les deux quatrains sont-ils seulement une variation poétique sur le serment traditionnel : « Dieu et mon roi »? En quoi semble-t-il y avoir une référence à la théorie de la monarchie de droit divin qui prend force au XVIe siècle? Cette théorie étant souvent mise en cause par les humanistes, et formellement contestée par les réformés, montrez qu'ainsi du Bellay se proclame sujet loyal et fidèle catholique : en quoi est-ce une question d'actualité? Dégagez, à partir de là, l'habileté de cet hommage pourtant très peu personnel.

Puis donc que[1] Dieu peut tout, et ne se trouve lieu
Lequel ne soit enclos sous[2] le pouvoir de Dieu,
Vous, de qui la grandeur de Dieu seul est enclose,

Élargissez[3] encor sur moi votre pouvoir,
Sur moi qui ne suis rien, afin de faire voir
Que de rien un grand Roi peut faire quelque chose.

1. Puisque donc; 2. *Enclos sous :* soumis à, borné par; 3. *Élargir :* étendre.

## QUESTIONS

● VERS 9-11. Comment, en jonglant avec les mots *Dieu* et *vous*, du Bellay confirme-t-il et illustre-t-il sa déclaration du vers 8?

● VERS 12-14. Y a-t-il de la part de Du Bellay abaissement ou humour discret sur lui-même? Ne pourrait-on pas, dans une certaine mesure, rapprocher le ton de ce tercet de celui de certaines épîtres de Marot?

■ SUR L'ENSEMBLE DU SONNET 191. — Est-il fréquent de voir du Bellay proclamer le dogme chrétien comme il le fait ici? Pourquoi récite-t-il ce *credo* plutôt que de recourir à la mythologie?

# DOCUMENTATION THÉMATIQUE

réunie par la Rédaction des Nouveaux Classiques Larousse

**1.** Le thème de désespoir avant *les Regrets.*
**2.** *Les Soupirs* de Magny.

## 1. LE THÈME DU DÉSESPOIR AVANT *LES REGRETS*

◆ Le *Chant du désespéré* de 1549.

Langueur me tient en laisse,
Douleur me suit de près,
Regret point ne me laisse,
Et crainte vient après :
Bref, de jour et de nuit,
Toute chose me nuit.

La verdoyant' campagne,
Le fleuri arbrisseau,
Tombant de la montagne
Le murmurant ruisseau,
De ces plaisirs jouir
Ne me peut réjouir.

La musique sauvage
Du rossignol au bois
Contriste mon courage [1],
Et me déplaît la voix
De tous joyeux oiseaux
Qui sont au bord des eaux.

Le cygne poétique
Lorsqu'il est mieux chantant,
Sur la rive aquatique
Va sa mort lamentant.
Las! tel chant me plaît bien
Comme semblable au mien.

La voix répercussive [2]
En m'oyant [3] lamenter,
De ma plainte excessive
Semble se tourmenter,
Car cela que j'ai dit
Toujours elle redit.

Ainsi la joie et l'aise
Me vient du deuil saisir [4],
Et n'est qui [5] tant me plaise

---

1. *Courage :* cœur; 2. L'écho; 3. *Ouïr :* entendre (participe présent); 4. Vient m'arracher à la douleur; 5. Il n'est rien qui.

Comme le déplaisir [6].
De la mort en effet
L'espoir vivre me fait.

◆ La *Complainte du désespéré* de 1552.

Qu'ai-je depuis mon enfance
Sinon toute injuste offense [7]
Senti de mes plus prochains?
Qui ma jeunesse passée
Aux ténèbres ont laissée
Dont ores [8] mes yeux sont pleins.

Et depuis que l'âge ferme [9]
A touché le premier terme
De mes ans plus vigoureux [10],
Las, hélas, quelle journée
Fut onc [11] si mal fortunée [12]
Que mes jours les plus heureux?

Mes os, mes nerfs et mes veines,
Témoins secrets de mes peines,
Et mille soucis [13] cuisants
Avancent de ma vieillesse
Le triste hiver, qui me blesse
Devant [14] l'été de mes ans.

Comme l'automne saccage
Les verts cheveux du bocage
A son triste avènement,
Ainsi peu à peu s'efface
Le crêpe honneur [15] de ma face
Veuve de son ornement.

Mon cœur jà [16] devenu marbre
En la souche d'un vieil arbre
A tous mes sens transmués;
Et le soin [17], qui me dérobe,
Me fait semblable à Niobe [18]
Voyant ses enfants tués.

---

**6.** *Déplaisir :* chagrin violent; **7.** *Offense :* tort; **8.** *Ores :* aujourd'hui, maintenant; **9.** L'âge adulte; **10.** Ma jeunesse; **11.** *Onc :* jamais; **12.** Malheureuse; **13.** *Souci :* tourment; **14.** *Devant :* avant; **15.** *Le crêpe honneur :* la chevelure; **16.** *Jà :* déjà; **17.** *Soin :* souci; **18.** *Niobe* ou Niobé : reine légendaire de Phrygie; trop fière de sa fécondité, elle vit ses sept fils et ses sept filles tués par Apollon et Artémis. Elle incarne la douleur maternelle.

Quelle Médée ancienne
Par sa voix magicienne
M'a changé si promptement ?
Fichant d'aiguilles cruelles
Mes entrailles et moelles
Serves [19] de l'enchantement ? [...]

Chacune chose décline [20]
Au lieu de son origine;
Et l'an, qui est coutumier
De faire mourir et naître,
Ce qui fut rien, avant qu'être,
Réduit à son rien premier.

Mais la tristesse profonde,
Qui d'un pied ferme se fonde
Au plus secret de mon cœur,
Seule immuable demeure,
Et contre moi d'heure en heure
Acquiert nouvelle vigueur.

## 2. *LES SOUPIRS* DE MAGNY

Le thème du regret chez un compagnon [21] de Du Bellay.

◆ Sonnet 17 (à rapprocher des *Regrets*, sonnet 15, page 62).

Tu ris quand je te dis que j'ai toujours affaire,
Et penses que je n'ai qu'à tracer des papiers,
Mais ois [22], je te supplie, par combien de sentiers
Il me faut tracasser, puis pense le contraire.

Mon principal état, c'est d'être secrétaire,
Mais on me fait servir de mille autres métiers,
Dont celui que je fais le plus mal volontiers
Est cil qui me contraint d'endurer et me taire.

Aussi je ne sers pas un maître seulement,
J'en sers deux, voire trois, et faut qu'également
Pour leur plaire, à très-tous, à chacun d'eux je plaise.

Le plus riche d'entre eux m'est chiche de son bien,
Et tous ensemblement me livrent du malaise,
Et bref, servant en tout, je ne profite en rien.

---

**19.** *Serve :* esclave; **20.** *Décliner :* revenir; **21.** Sur Magny, voir *Répertoire*, page 38; **22.** *Ouïr :* entendre.

◆ Sonnet 148 (à rapprocher des *Regrets*, sonnet 33, page 75).

Que ferai-je, Truguet, dis-moi, que dois-je faire?
Puisque j'ois ce prélat qui me dût avancer,
Ne faire en le servant sans fin que me tancer,
De ce qu'il m'a promis exploitant le contraire.

Si des maux qu'on me fait, toujours je me veux taire
D'un trop mordant ennui [23] je me sens offenser [24];
Et si je veux aussi ma plainte commencer,
Je crains qu'on ne m'estime assez bon secrétaire.

Pour faire doncques l'un et l'autre plus contents,
Et pour garder que [25] plus je ne perde mon temps,
Ce sera le meilleur de nous partir [26] d'ensemble.

Je me partirai [27] donc? Non, je demeurerai.
Je demeurerai, non, ainçois [28] je partirai.
Dis-moi pour Dieu, Truguet, dis-moi ce qu'il t'en semble.

◆ Sonnet 34 (à rapprocher des *Regrets*, sonnet 38, page 77).

Bienheureux est celui, qui loin de la cité
Vit librement aux champs dans son propre héritage,
Et qui conduit en paix le soin de son ménage [29],
Sans rechercher plus loin autre félicité.

Il ne sait que [30] veut dire avoir nécessité,
Et n'a point d'autre soin que de son labourage,
Et si sa maison n'est pleine de grand ouvrage,
Aussi n'est-il grevé de grand'adversité.

Ores [31] il ente [32] un arbre, et ores il marie
Les vignes aux ormeaux et ore en la prairie
Il débonde un ruisseau pour l'herbe en arroser;

Puis au soir il retourne, et soupe à la chandelle
Avecques ses enfants et sa femme fidèle,
Puis se chauffe ou devise [33] et s'en va reposer.

◆ Sonnet 67 (à rapprocher des *Regrets*, sonnet 53, page 86).

Vivons, Belle, vivons et suivons notre amour,

---

**23.** *Ennui:* tourment; **24.** *Offenser:* blesser; **25.** *Garder que:* éviter que; **26.** *Partir:* séparer; **27.** Je m'en irai; **28.** *Ainçois:* mais au contraire; **29.** *Ménage:* maison; **30.** *Que:* ce que; **31.** *Ores:* tantôt; **32.** *Enter:* greffer; **33.** *Deviser:* causer.

De cent divers plaisirs bien heurant [34] notre vie,
Sans estimer en rien [35] le babil de l'envie
Qui du bonheur d'autrui se tourmente toujours;

Le soleil s'en va bien et revient chaque jour,
Mais depuis que [36] la mort notre vie a ravie,
Et qu'une fois en bas notre ombre l'a suivie,
Il ne faut plus, Maîtresse, espérer du retour.

Suivons doncques heureux notre amour fortunée,
Et vivons peu soigneux [37] du jour à la journée
Sans songer aux jaloux, n'au [38] trépas inhumain.

Périsse cettui-là qui d'ardente malice
Brasse un mal dessous nous [39] et cil périsse aussi
Qui se ronge l'esprit du soin [40] du lendemain.

Pour les quatrains de ce sonnet, Magny, comme du Bellay dans le sonnet 53 des *Regrets*, s'est souvenu de Catulle (*Poésies*, V) :

Vivons, ma Lesbie, aimons-nous et que tous les murmures des vieillards moroses aient pour nous la valeur d'un sou. Les feux du soleil peuvent mourir et renaître; nous, quand une fois est morte la brève lumière de notre vie, il nous faut dormir une seule et même nuit éternelle. (Trad. Georges Lafaye, Ed. des Belles Lettres.)

**34.** *Heurant :* réjouissant; **35.** Sans accorder d'attention à; **36.** *Depuis que :* après que; **37.** *Soigneux :* soucieux; **38.** Ni au; **39.** Sous nos pas; **40.** *Soin :* souci.

# JUGEMENTS SUR DU BELLAY ET LES « REGRETS »

## XVIe SIÈCLE

*Avant même son voyage en Italie, du Bellay était célébré comme un grand poète. Jeanne d'Albret, reine de Navarre, répondait ainsi aux éloges que lui avait adressés l'auteur de la* Défense et illustration de la langue française :

> Que mériter on ne puisse l'honneur
> Qu'avez écrit, je n'en suis ignorante [...].
> Mais qu'un Bellay ait daigné de l'écrire,
> Honte je n'ai à vous et chacun dire
> Que je me tiens plus contente [...],
> Plus satisfaite et encor glorieuse,
> Sans mériter me trouver si heureuse
> Qu'on puisse voir mon nom en vos papiers.

Jeanne d'Albret (vers 1550).

*D'une manière générale, cependant, les contemporains unissent du Bellay à Ronsard pour leur rendre hommage, et Baïf semble reconnaître comme un fait admis leur supériorité :*

> Bien qu'entre les bergers j'ai[e] bruit d'être poète,
> Si ne les crois-je pas : car ma basse musette
> Ne sonne pas encor des chansons d'un tel art
> Comme le doux Bellay et le grave Ronsard.

Jean Antoine de Baïf, *Églogue XVII.*

*Montaigne, un peu plus tard, leur accordera l'éloge suprême, et il rendra compte de leur supériorité en même temps que de leur influence :*

Aux parties en quoi Ronsard et du Bellay excellent, je ne les trouve guère éloignés de la perfection ancienne. [...]

Depuis que Ronsard et du Bellay ont donné crédit à notre poésie française, je ne vois si petit apprenti qui n'enfle les mots, qui ne range les cadences à peu près comme eux [...]. Mais comme il leur [*à ces imitateurs*] a été aisé de représenter [= *imiter*] leurs rimes, ils demeurent bien aussi court à imiter les riches descriptions de l'un et les délicates inventions de l'autre.

Montaigne,
*Essais* (1580).

*Mais quelques-uns de ces hommages s'adressent à du Bellay seul, tel celui de Belleau, consacré à la mort du poète :*

Ainsi, pasteurs, cueillez et recueillez encor
Le reste de l'orage et le riche trésor
De ses vers doux-coulants, qui vivront d'âge en âge.

Remi Belleau,
*Chant pastoral*
sur la mort de Joachim du Bellay (1560).

*Ronsard s'émeut du sentiment du « guignon » dont du Bellay se sentait poursuivi :*

Je pleurais du Bellay qui était de mon âge,
De mon art, de mes mœurs et de mon parentage,
Lequel, après avoir d'une si docte voix
Tant de fois rechanté les princes et les rois,
Est mort pauvre, chétif, sans nulle récompense
Sinon du fameux bruit que lui garde la France.

Ronsard,
*Bocage royal* (1563).

*La gloire de Du Bellay, dès après sa mort, est attestée par un autre hommage, rendu en Angleterre par le très grand poète Edmund Spenser, qui traduisit* les Antiquités de Rome :

Bellay! first garland of free poesy
That France brought forth, though fruitful of brave wits.

[Bellay! premier ornement de la libre poésie que la France donna au monde, si féconde qu'elle fût en esprits excellents.]

Edmund Spenser.

*Enfin, l'humaniste Étienne Pasquier, faisant le bilan de la civilisation française, accorde à Ronsard « la gravité et à du Bellay la douceur », pour conclure sur l'œuvre de celui-ci :*

Il y a en lui plusieurs belles odes et chants lyriques, plusieurs belles traductions comme les quatre et sixième livres de Virgile, toutefois il n'y a rien de si beau que ses *Regrets* qu'il fit dans Rome, auxquels il surmonta soi-même.

Étienne Pasquier,
*Recherches de la France*, VII, 7 (publié en 1611).

## XVII<sup>e</sup> SIÈCLE

*Au début du siècle, on trouve encore, malgré Malherbe, quelques amateurs de la poésie de la Renaissance. Vauquelin de La Fresnaye, qui, il est vrai, appartient encore au XVI^e siècle, s'intéresse surtout à l'inspiration satirique des* Regrets, *et il loue du Bellay d'avoir su arracher le sonnet à la tradition pétrarquiste :*

Et du Bellay, quittant cette amoureuse flamme,
Premier fit le sonnet sentir son épigramme,
Capable le rendant, comme on voit, de pouvoir
Tout plaisant argument en ses vers recevoir.

Vauquelin de La Fresnaye,
*Art poétique* (1605).

*M^lle de Gournay (1566-1645), la « fille d'alliance » de Montaigne, restée attachée aux goûts du passé, proclame péremptoirement :*

Je déclare que je veux écrire, rimer et raisonner de toute ma puissance à la mode de Ronsard, du Bellay, Desportes et leurs associés et contemporains s'ils en ont.

M^lle de Gournay.

*Quant à* **Régnier,** *peut-être sensible lui aussi à la qualité satirique des* Regrets, *il nous renseigne sur l'opinion de* **Malherbe** *en lui reprochant, dans sa* Satire IX *l'étroitesse de ses jugements, notamment sur « du Bellay trop facile ».*

*Cependant, quelques lettrés lui vouent encore une admiration fervente :*

Cet auteur fut considéré comme l'un des plus grands ornements de son siècle, et il fait encore les délices du nôtre. C'est une chose étrange que de toute cette fameuse Pléiade d'excellents esprits qui parurent sous le règne du roi Henri second, je ne vois que celui-ci qui ait conservé sa réputation toute pure et tout entière [...]. Son style clair et net, facile et majestueux, est une preuve indubitable de la beauté de son esprit et de la connaissance parfaite qu'il avait de tous les secrets de notre langue. Et je ne doute point aussi que, si le ciel eût prolongé ses années, il n'eût enfin rendu la palme douteuse entre lui et le grand Ronsard, et qu'il n'eût même enfin remporté sur lui le titre glorieux de prince de nos poètes.

Guillaume Colletet,
*Vie des poètes français* (manuscrite).

*L'ensemble du siècle semble négliger du Bellay. Boileau l'affirme en écrivant dans la septième* Réflexion sur Longin *que Ronsard et sa Brigade « ne trouvent pas même de lecteurs ».*

## XVIII^e SIÈCLE

*En ce siècle peu favorable à la poésie, même Chénier ignora Ronsard et son école. Le nom de Du Bellay apparaît encore çà et là sous la plume d'écrivains plus ou moins connus, qui lui accordent un mérite refusé à Ronsard. Témoignage plus significatif, peut-être, une anthologie parue en 1778 consacre cent cinquante pages aux œuvres de Du Bellay.*

## XIXᵉ SIÈCLE

*Lorsque Sainte-Beuve fait redécouvrir aux Français le mérite de la poésie de la Pléiade, il confirme que le nom de Du Bellay a gardé un certain prestige; il n'en sent pas moins le besoin de présenter* les Regrets *à un public qui ne semble plus guère connaître le recueil :*

Il nous a suffi à son égard de développer et de préciser les vestiges de bon renom qu'il avait laissés; nous n'avons pas eu à le réhabiliter comme Ronsard [...].

*Les Regrets* sont des espèces de *Tristes* composés par du Bellay durant le séjour de trois ou quatre ans qu'il fit à Rome avec le cardinal du Bellay, son parent. Les dégoûts d'un office subalterne, le spectacle des mœurs italiennes et de la cour pontificale, les souvenirs de l'Antiquité déchue et plus encore, ceux de la patrie absente, tout abreuva le poète d'un ennui qui n'a que trop passé dans ses vers. Mais c'est déjà quelque chose de remarquable que ce sérieux et parfois amer sentiment d'une âme qui s'ennuie et qui souffre.

Sainte-Beuve,
*Tableau de la poésie française au XVIᵉ siècle* (1828).

*Cet éloge, toutefois, ne fut pas accepté sans réserve. En 1844, Nisard, critique attaché obstinément aux valeurs purement classiques, trouvait* les Regrets *ennuyeux. Sainte-Beuve lui-même, en 1867, écrivait encore, avec une certaine prudence :*

Quand on le considère de près, il justifie, somme toute, sa réputation, si même il ne la dépasse pas. Il est digne de la conserver entière. Son principal titre est l'*Illustration*.

Sainte-Beuve,
*Nouveaux Lundis*, tome XIII (1867).

*Il faudra attendre la fin du siècle pour que* les Regrets *prennent l'importance qui est la leur, et pour que soit appréciée pleinement une sensibilité originale :*

C'est de tous les poètes du XVIᵉ siècle le plus personnel, celui qui a mis le plus de lui-même dans ses écrits. En cela, non pas seulement infidèle, mais contraire à l'esprit de l'école nouvelle dont il avait été le porte-parole éloquent.

Émile Faguet,
*le XVIᵉ Siècle* (1893).

XX^e^ SIÈCLE

*En 1900, Henri Chamard publie sa thèse sur du Bellay. Dès l'introduction se trouve mis en valeur le double mouvement animant* les Regrets *:*

Aux heures où son esprit était en verve, il a tracé des spectacles qu'il avait sous les yeux, des peintures humoristiques d'une vérité presque brutale, d'une satire aiguë et pénétrante, d'une ironie parfois amère. Aux heures plus fréquentes des tristesses, il a pleuré les longues mélancolies de son âme, ses rêves déçus, ses espoirs trompés, les dures souffrances de l'exil sur une terre étrangère, ses regrets de la patrie absente, des amis lointains, du foyer délaissé, là-bas, au doux pays natal. Il a fait de ses chants un écho de son cœur; il a laissé jaillir du fond de lui-même une source de poésie réelle, intime, vraiment vécue.

Henri Chamard,
*Joachim du Bellay* (1900).

*Joseph Vianey insiste sur la parfaite maîtrise de Du Bellay, en montrant à quel point la simplicité de structure du sonnet des* Regrets *constitue un accomplissement :*

C'est dans *les Regrets* que le maître des sonnettistes français a porté sa manière à la perfection [...]. Il se défend d'avoir aucun artifice de style; il ne veut que dire naïvement les choses comme elles lui viennent. Mais, en même temps, il défie les imitateurs de lui prendre sa facilité. Il a raison. Ce naturel exquis, qui n'exclut ni la force, ni le pittoresque, ni surtout l'esprit, est inimitable.

Joseph Vianey,
*Chefs-d'œuvre poétiques du XVI^e^ siècle* (1932).

*Et tandis que* les Regrets *ne cessent d'être mieux appréciés, leur surprenante richesse, leur variété, apparaît avec chaque commentateur, plus ou moins sensible à tel ou tel aspect du recueil :*

Les *Regrets* se présentent ainsi comme une série de cartes postales adressées par un voyageur à ses amis lointains. La liste de leurs destinataires constitue l'agenda des amitiés de Du Bellay et de ses servitudes hiérarchiques ou mondaines [...]. Des cartes postales comme toutes les autres : au recto, une gravure pittoresque — c'est la satire de Rome; au verso, quelques impressions sincères — c'est la nostalgie de Du Bellay.

Jean Baillou,
*Histoire de la littérature française,*
dirigée par J. Bédier et Hazard, nouvelle édition (1948).

Du Bellay réussit à dire constamment la tristesse d'un vrai poète, sans cesser de chanter les grandeurs authentiques de l'homme. Il se raconte si bien que, les livres fermés, on garde à la fois l'impression de l'avoir surpris dans l'intimité de l'ineffable, et de n'avoir pourtant rien entendu de lui qu'il n'aurait pu dire d'un autre. Le meilleur de l'émotion est là : on vient de quitter une âme unique, à cent autres pareille. [...]

De ses tribulations, l'auteur sut faire une œuvre parce qu'il avait le génie de l'écrivain, et non seulement le don du secrétaire qui confie son mal au papier. Mais par une trouvaille géniale, il a formé en œuvre d'art l'apparence même d'un manque d'art [...]. *Les Regrets* sont un journal : mais le journal d'un poète. Des confidences, mais artistiquement composées. Son double sentiment, moqueur et désolé, sera mis en forme dans *les Regrets,* comme dans *les Antiquités* son émotion devant la grandeur.

V. L. Saulnier,
*Du Bellay, l'homme et l'œuvre* (1951).

L'enchantement de Rome commence, aux yeux du déplorable du Bellay, à se changer en un ensorcellement infernal. Malade de nostalgie, il ne tolère ni les empêchements qui entravent sa médiocre carrière de diplomate subalterne, ni les intrigues, ni les vices immondes, ni le nonchalant immoralisme de la société et de la curie romaines. Il rend un compte impitoyable de son cœur qu'il plaint, et de l'état des mœurs, qu'il examine et réprouve [...]. Rentré à Paris (fin 1557), il obtient les plus flatteurs suffrages. Mais il est accablé de soucis familiaux et de contestations judiciaires. Sa surdité, s'aggravant encore, lui interdit le commerce de ses pairs [...]. Foudroyé par l'excès de ses piètres malheurs, il meurt d'une attaque (1er janvier 1560). On l'inhume à Notre-Dame de Paris dans la chapelle des saints Crépin et Crépinien. Il est âgé de 37 ans.

Albert-Marie Schmidt,
Introduction à une édition des *Poètes du XVIe siècle* (1953).

A la lecture d'ensemble, *les Regrets* apparaissent comme un document vivant, l'exemple d'un journal intime rédigé dans le double mouvement d'un repliement sur soi et d'une observation amusée de la vie extérieure, avec la tendance à dégager de cette expérience une sorte de leçon valable pour le poète et aussi pour les autres, comme un *Essai* de Montaigne. [...] Les meilleurs sonnets sont ceux qui évoquent l'attachement à la terre natale ou le regret de l'inspiration perdue; s'élevant au-dessus des tracasseries quotidiennes qui harcèlent le poète, ils ont une portée assez générale pour éveiller un écho direct chez le lecteur. [...] Du Bellay ne cherche pas, aussi précisément que Ronsard, à fixer notre attention sur les formes de la vie ou du monde extérieur, l'image n'est que le vêtement transparent du sentiment qu'elle irise de ses reflets délicats. La musique des syllabes, les allitérations discrètes contribuent à cette idéalisation. [...]

A travers les aspects particuliers d'une expérience individuelle et grâce à une technique poussée à son maximum de perfection, la poésie de Du Bellay exprime deux sentiments particulièrement vifs dans la conscience des humanistes français du XVIe siècle : le sentiment national, et l'hostilité à la curie romaine. Mais il n'y a chez Joachim aucune volonté *a priori* de développer ces thèmes, c'est par un cheminement tout personnel, par l'amertume de l'exil, qu'il retrouve certains éléments essentiels à la conscience de son époque. La poésie apparaît donc d'autant plus intense, qu'elle jaillit d'une expérience plus intime et qu'elle retrouve ainsi un sentiment plus général.

Henri Weber,
*la Création poétique au XVIe siècle en France* (1956).

L'originalité des *Regrets*, par rapport à l'œuvre antérieure de Du Bellay et aux productions coutumières de son temps, est totale. Dans cet art poétique nouveau, que constituent les premiers sonnets, il exprime des idées inattendues, et d'autant plus inattendues que c'est l'auteur de la *Défense* qui les exprime. [...]

Cette volonté de faire de la vérité la sœur de la poésie trouvera dans la satire une autre façon de se satisfaire. A la confidence personnelle, à la révélation du poète par lui-même, s'ajoutera l'aveu des vices d'autrui, la révélation de l'infamie du monde. Ainsi la poésie deviendra-t-elle une dénonciation du monde objectif, après avoir été celle du malheur subjectif. Il ne s'agira pas de faire rire des autres à son propre profit, mais de mettre la société en accusation, de montrer les responsabilités du monde dans le malheur du poète. Car cette satire n'est pas entreprise du point de vue de Sirius. L'être personnel du poète y est engagé. C'est au nom de ses souffrances, de ses déceptions, de ses humiliations, que celui-ci condamnera les hommes. La satire dès lors sera, elle aussi, expression du sentiment intime. C'est un compte personnel que le poète règlera entre le monde et lui. [...]

Quelque obscure et avortée qu'elle soit, la prophétie du romantisme futur se manifeste ainsi dans l'œuvre et dans la vie de Du Bellay. Il serait faux de croire qu'il ait incliné dans ce sens l'histoire de la poésie française : cette prophétie, il faut appartenir au XXe siècle pour en être conscient. Mais la valeur de Du Bellay n'en est pas infirmée : il est bien un précurseur.

Frédéric Boyer,
*Joachim du Bellay* (1958).

# SUJETS DE DEVOIRS ET D'EXPOSÉS

## LETTRES ET DIALOGUES

● Vous présenterez sous forme de dialogue une journée de Du Bellay à Rome : il accueille un « fâcheux », un grand seigneur, il éconduit un créancier, il rejoint le cardinal pour l'accompagner au Vatican, il traverse les rues de Rome, il arrive au palais... (Voir notamment les sonnets 14, 15, 16, 80, 84, 122, etc.)

● Une soirée de détente de Du Bellay à Rome : Magny, Panjas, Maraud, Le Breton, d'autres peut-être, viennent rejoindre le poète dans sa chambre. On commente la journée, ce qu'on a fait, ce qu'on a vu, ce qu'on a entendu, ce qu'on a pensé, on lit des vers, on en discute, on évoque les amis restés en France. (Voir notamment les sonnets 16, 54, 58, 59.)

● Du Bellay écrit à Ronsard pour lui décrire l'atmosphère de Rome à la suite d'un événement important : guerre, élection d'un pape, carnaval, trêve de Vaucelles, par exemple. Faites la lettre.

● Rentré à Paris, du Bellay retrouve Magny, à qui il fait part de sa déception et de son amertume. Vous imaginerez leur conversation.

● Ronsard, ayant eu l'occasion de lire quelques-uns des premiers sonnets écrits par du Bellay à Rome, a fait part à celui-ci de son étonnement : n'était-il pas heureux de partir? Rome n'est-elle pas la capitale de la vie intellectuelle et artistique? Vous rédigerez la lettre par laquelle du Bellay répond à Ronsard pour se justifier et expliquer son point de vue.

● Après la publication des *Regrets*, le cardinal du Bellay, resté à Rome, fut médiocrement satisfait de les lire, et il écrivit au poète pour lui faire part de son mécontentement. Vous rédigerez la lettre par laquelle le poète se justifie, et d'avoir écrit les *Regrets*, et de les avoir publiés.

## EXPOSÉS ET DISSERTATIONS

● Du Bellay écrivait en 1549, dans la *Défense et illustration :* « Celui sera véritablement le poète que je cherche en notre langue, qui me fera indigner, apaiser, éjouir, douloir, aimer, haïr, admirer, étonner, bref qui tiendra la bride de mes affections, me tournant çà et là à son plaisir. » Dans quelle mesure l'auteur des *Regrets* a-t-il satisfait à cette définition?

● A l'aide de quelques sonnets judicieusement choisis, tant dans la partie élégiaque que dans la partie satirique du recueil, montrez comment du Bellay réussit à concilier l'inspiration personnelle (mélancolie, regret, indignation) avec l'imitation des Anciens et des Italiens.

● D'après les sonnets 62, 77, 108, 143, vous définirez la satire telle que la conçoit du Bellay : ses procédés, la nature des éléments qui la suscitent, le but auquel elle tend. Vous choisirez d'autre part un groupe de sonnets sur un thème donné : la cour pontificale, les courtisans, les voyages par exemple, et vous examinerez dans quelle mesure du Bellay se conforme aux exigences qu'il a formulées. Enfin vous direz quelle impression personnelle vous laissent ces sonnets, et quel est leur intérêt actuel.

● D'après les sonnets 1 à 5 des *Regrets,* vous dégagerez la conception de la poésie élégiaque telle que la définit du Bellay : originalité par rapport à son temps, intérêt actuel. Puis, d'après un groupe de sonnets choisis autour d'un thème (par exemple la nostalgie du pays natal), ou d'une image (par exemple la mer dangereuse), ou d'un procédé de présentation (par exemple l'énumération), vous étudierez dans quelle mesure du Bellay accomplit ce qu'il annonce et quelle impression laissent, quatre cents ans après, ses poèmes chantant le « regret ».

● L'expression de la mélancolie dans *les Regrets* : le vocabulaire, les tours, les rythmes, les effets musicaux, les images, l'art du sonnet, au service d'un sentiment.

● La couleur locale et l'intérêt documentaire des *Regrets :* peut-on parler d'exotisme et de poésie militante?

● Critique et pratique du métier de courtisan par du Bellay dans *les Regrets.* Quelle importance présente cette question? Quelles ambiguïtés révèle-t-elle dans l'esprit et dans la situation du poète?

● La « morale » de Du Bellay et ses contradictions, dans *les Regrets.*

● La mission du poète dans *les Regrets* : la fidélité aux thèses de la *Défense et illustration,* leur reniement. Dégagez ces différents points, essayez d'en expliquer les raisons, l'importance et la valeur. Qu'en pensez-vous?

● La confidence dans *les Regrets* : où et comment s'exprime-t-elle? Dans quelle mesure avons-nous l'impression, après avoir lu l'œuvre, de connaître l'homme?

● La variété des thèmes et des tons dans *les Regrets.* Où apparaît cependant l'unité du recueil?

● Le thème du voyage dans *les Regrets.*

● Le thème de l'exil dans *les Regrets.*

● Vous paraît-il possible d'apprécier *les Regrets* sans connaître la vie de Du Bellay et les circonstances dans lesquelles le recueil a été composé ?

● Comparez les portraits de courtisans tracés dans *les Regrets* et ceux de La Bruyère.

● V. L. Saulnier écrit à propos de la « modernité » de Du Bellay : « Est vraiment moderne le poète que nous goûtons encore après des siècles : *et n'oublions jamais qu'il n'a pas écrit pour nous.* » Mais du Bellay, dans la *Défense et illustration,* définissait le poète comme celui « qui désire vivre en la mémoire de la postérité », et il lui conseillait : « Espère le fruit de ton labeur de l'incorruptible et non envieuse postérité : c'est la gloire, seule échelle par les degrés de laquelle les mortels d'un pied léger montent au ciel et se font compagnons des dieux. » Ces deux points de vue vous paraissent-ils correspondre ?

● Dans le sonnet 2 des *Regrets,* du Bellay défie :

> Et peut-être que tel se pense bien habile
> Qui trouvant de mes vers la rime si facile
> En vain travaillera, me voulant imiter.

Commentez et discutez la valeur du jugement ainsi porté par le poète sur son œuvre.

● A propos des *Regrets,* Henri Weber écrit : « A la lecture d'ensemble, *les Regrets* apparaissent comme un document vivant, l'exemple d'un journal intime rédigé dans le double mouvement d'un repliement sur soi et d'une observation amusée de la vie extérieure, avec la tendance à dégager de cette expérience une sorte de leçon valable pour le poète et aussi pour les autres, comme un *Essai* de Montaigne. » Commentez ce jugement.

# INDEX DES INCIPIT classés par ordre alphabétique.

*(Les chiffres entre parenthèses renvoient aux numéros des sonnets.)*